Chronique
du soupir

Mathieu Gaborit

Chronique
du soupir

ÉDITIONS FRANCE LOISIRS

Édition du Club France Loisirs,
avec l'autorisation des Éditions Le Pré aux Clercs

Éditions France Loisirs
123, boulevard de Grenelle, Paris
www.franceloisirs.com

ISBN : 978-2-298-05730-0

1

« Le seigneur juge un homme à la qualité
de ses chausses. Moi, je préfère me fier à
son haleine. Sous un souffle sincère, je
devine l'homme juste. »

ANONYME

Cerne porte une vieille houppelande grise qui traîne jusqu'au sol. Ses bottes légères se meuvent en silence sur les pavés qui mènent jusqu'au taudis. Ses cheveux noirs tombent en mèches plates sur ses épaules, collées à son crâne par la pluie. Ses yeux, deux perles cramoisies, se détachent comme deux tisons sur son visage émacié. Il a le teint pâle, les joues creusées et les narines légèrement dilatées.

Le souffle qui s'échappe de ses lèvres forme un linceul vaporeux autour de sa silhouette comme s'il se mouvait dans le brouillard. Les rares mendiants vautrés dans la ruelle ne détectent qu'un vague mouvement, une ombre furtive qui se confond avec la pierre.

Cerne s'immobilise devant une porte branlante. Sa bouche s'arrondit. Sur sa langue, le souffle s'aiguise pour devenir un courant d'air : la porte tremble et s'ouvre devant lui.

Une pièce unique abrite la famille. Un père, une mère et leur fils qui dorment sur la même paillasse. Contre un mur, une table étroite et trois tabourets. Près de la fenêtre, une armoire rongée par l'humidité et posée sur des cales.

La famille se réveille en sursaut et cligne des yeux à l'éclat de la lanterne que Cerne brandit devant lui.

— Debout, dit-il.

— Comme d'habitude ? demande-t-elle.

— Oui. Trouve-moi aussi un manteau à sa taille, dit-il en montrant l'enfant.

Cerne attend que la servante ait disparu pour tendre le bras au-dessus de la table. Il déploie ses doigts et les pose délicatement à la surface du visage du garçon comme les pattes d'une araignée. Ce dernier tente un mouvement de recul.

— Ne bouge pas. Et souffle, dit Cerne.

L'enfant s'exécute. Cerne ferme les yeux et sent l'haleine tiède du garçon contre sa paume. Il ne s'est pas trompé : le souffle qui s'échappe des lèvres de l'enfant est intact.

— C'est bien, murmure-t-il. Tu as respecté ta fée.

Cerne retire sa main et pointe l'index sur la poitrine de l'enfant.

— Elle te parle ?

— Un peu. Quand j'ai faim...

— Tes parents ne l'aiment pas, n'est-ce pas ?

— Père dit qu'elles mentent. Qu'elles font de nous des esclaves.

Cerne éclate d'un rire sec.

— Des esclaves ! Sans une fée au cœur, ton père serait déjà mort.

Il referme sa main dans le vide.

— Sais-tu à quel point cet air est vicié ? C'est un poison qui pourrait te foudroyer, toi et tous ceux qui ont la prétention de vivre à la surface de ce monde. Des esclaves ! Ton père est un lâche... Les fées nous ont sauvés. Les fées nous ont fait renaître.

Ses doigts glissent sur le cou du garçon.

— Écoute-moi bien. Il y a la fée dans ton cœur et le souffle qu'elle te donne. Ce souffle, c'est un don, c'est une magie qu'il faut honorer. Mais ce n'est pas *sa* magie, tu comprends ? Ta fée n'est que le métal dont on fait les épées.

Il relâche l'enfant et trace, de l'index, une ligne imaginaire de son cœur jusqu'aux lèvres.

— C'est ta forge ! Ton corps est une forge.

D'un index rageur, il lui tapote le front :

— Et le forgeron est là. Dans ta tête. La fée t'offre un matériau que tu dois sculpter avec ton corps et ton esprit. C'est une foutue chance, bon sang. Une foutue chance…

Cerne grimace, la nuque douloureuse. L'ignorance le rend irritable. L'enfant, lui, est pétrifié par cette colère sourde qui couve dans les yeux de son nouveau maître.

Un silence pesant s'installe. La servante le brise en déposant sur la table un pichet de bière et une assiette de craquelins saupoudrés de sucre.

— Mange, grommelle Cerne.

L'enfant se jette sur la nourriture et engloutit les biscuits. Cerne le regarde manger et l'invite à continuer dès qu'il fait mine de s'interrompre.

— La fée n'est pas une abstraction, dit-il d'une voix maussade. Elle bouffe. Alors toi, tu bouffes.

Cerne donne le signal de départ alors que l'enfant, repu, s'est assoupi sur le banc.

— C'est l'heure. Lève-toi.

Un bref instant, le garçon ne sait plus où il est. Le désarroi creuse son visage. Cerne le pousse de la pointe du pied.

— Dépêche-toi.

Ils marchent sous un ciel d'étain et une pluie battante. Emmitouflé dans son nouveau manteau, l'enfant trottine pour suivre les larges enjambées de Cerne. Le maître le conduit dans une venelle où une vingtaine de miliciens piétinent sous l'averse. Leur capitaine se tient sous un porche et se raidit lorsque l'homme et l'enfant s'approchent de lui.

— Elle est toujours dedans ? demande Cerne.

Ventru, la barbe broussailleuse, le capitaine crache au sol :

— Elle n'a pas bougé.

Il montre ses hommes :

— Leurs fées s'agitent. La mienne aussi, marmonne-t-il avec une grimace de dégoût. Il était temps que vous arriviez.

Cerne connaît les symptômes. Des pincements au cœur, une douleur sourde dans la poitrine et des sueurs froides. Il jette un œil sur la poterne. Si la créature perturbe les champs féeriques jusqu'à l'air libre malgré la porte en bronze et les glyphes apposés par la Grande Garde, la présence de l'enfant est plus que jamais indispensable.

— C'est le gamin ? demande le capitaine en se penchant sur le garçon. Tu t'appelles comment ?

— Non, pas de nom, dit Cerne d'une voix sèche.

Le capitaine se redresse.

— Je voulais juste…

— Pas de nom. Elle pourrait s'en servir.

Le capitaine crache de nouveau au sol. Son regard se perd vers l'extrémité de la venelle avant de se reposer sur Cerne.

— T'es une vraie pourriture, hein…

— Contente-toi de bien refermer derrière nous.

La lourde porte qui condamne la poterne s'ouvre dans un long raclement. Les miliciens reculent. Cerne, lui, extrait lentement un poignard de son fourreau, le soupèse un bref instant et lève sa lanterne.

— Tu restes derrière moi, dit-il à l'enfant. Marche dans mes pas et tout ira bien.

Le garçon se glisse dans son sillage et s'engage dans l'étroit couloir qui prolonge la poterne. La porte claque dans son dos.

Cerne abaisse le capuchon de sa lanterne de la pointe de son arme et s'immobilise.

Sa fée s'ébroue.

— Tu la sens ? dit-il à voix haute.

D'une courte impulsion mentale, la fée lui répond que non.

— Ça pue, souffle l'enfant.

— Les égouts, répond Cerne. Tu vas t'habituer.

Le couloir les conduit aux premières marches d'un escalier en colimaçon. La faible lumière distillée par la lanterne dévoile des murs sales et des inscriptions maladroitement gravées dans la pierre. Des noms par dizaines qui racontent l'histoire de ce conduit et de ceux qui y ont péri.

Cerne en connaît la plupart. Ses doigts s'attardent dans le creux du dernier, cinq lettres en guise de pierre tombale.

— On avance.

À chaque marche, il sent que l'atmosphère se condense. Sa fée se tend et tire sur les veines qui mènent à son cœur.

— Calme. Elle est encore loin, murmure-t-il comme une prière.

Le premier cadavre gît au pied de l'escalier. Un jeune milicien vautré contre un mur, le menton sur la poitrine, les deux jambes repliées sous les fesses. Cerne le saisit par les cheveux pour relever son visage. Sa bouche est ouverte sur un cri muet, le cou violacé. À l'aide de son poignard, Cerne arrache les boutons du surcot et dévoile le torse du défunt. Dans un réflexe de survie, la fée a tenté de sortir en grattant la poitrine du malheureux *de l'intérieur*. Entre les deux lèvres de l'entaille pointe une main de la taille d'un ongle.

Cerne tend la lanterne à l'enfant.

— Tu sais qui a fait ça ?

Les yeux fixés sur le cadavre, le garçon ne répond pas. Cerne se masse les yeux et s'accroupit à sa hauteur.

— Une renégate a pris possession de cet endroit. Elle est venue pour se nourrir et personne, à part moi, ne peut l'arrêter.

— Et moi ?

— Toi, tu es mon appât.

Pour la première fois, des larmes coulent sur les joues de l'enfant.

— Je ne te cache rien, poursuit Cerne. Tu vas passer devant. Elle a déjà dû sentir ton souffle et elle s'approche. Si elle me trouve avant toi, nous allons mourir tous les deux. C'est pour cela que j'ai besoin de toi. Pour la distraire. C'est un animal rongé par la faim, elle ne verra que la pureté de ta fée. Je la tuerai avant qu'elle te ne coupe le souffle.

L'enfant essuie ses larmes et, soudain, s'élance vers l'escalier. Cerne le rattrape d'une main ferme et le plaque contre lui.

— Je la tuerai, dit-il en maintenant fermement l'enfant contre lui.

Peu à peu, les frissons qui agitent le corps du garçon s'apaisent. À contrecœur, Cerne puise aux sources de sa propre fée pour souffler dans les cheveux de l'enfant et repousser la peur au fond de son crâne.

L'enfant progresse dans un large boyau. Dans sa main, la lanterne oscille et projette sur les murs une lumière en balancier. Cerne se tient cinq mètres derrière lui, dans la pénombre, et souffle à intervalles réguliers. Sa concentration est extrême, calquée sur le rythme de l'enfant. Dans sa bouche, la langue canalise les influx de sa fée comme une voile sous le vent. Sitôt franchi ses lèvres, le souffle se condense et se transforme en filaments de brume qui s'enroulent autour de son torse, ses bras et ses jambes pour tisser des cercles vaporeux.

Des pincements féroces lui déchirent les poumons. Sensible à la présence de plus en plus lourde de la renégate, la fée accélère la circulation du sang pour s'endurcir en prévision du combat.

Sur les parois, les traces du passage de la renégate se précisent : des taches sombres semblables à des nécroses là où son souffle a fait le vide et altéré les champs féeriques.

Pour elle, le souffle de l'enfant est une pulsation gourmande, la promesse d'un festin.

Le boyau s'élargit et s'achève sur une large salle ronde. La lanterne se fige. Un bruit dans l'obscurité, un râle tout juste perceptible.

Cerne respire par deux fois pour achever l'enchantement qui anime l'armure des filaments. Une expiration suffit à couper l'ultime cordon ombilical qui se tord au bout de sa langue. Dans un chuintement, l'armure devient autonome : les filaments entament une lente rotation sur eux-mêmes et deviennent de minces cerceaux de brume qui tournoient autour de ses membres.

L'enfant se retourne dans sa direction et fouille l'obscurité pour tenter de l'apercevoir.

Tapi dans l'ombre, Cerne rengaine son poignard, souffle dans le creux de ses mains et envoie le murmure condensé vers le garçon, qui tressaille lorsque le souffle effleure son oreille et délivre son message.

Avance, je suis là.

L'enfant pivote et fait trois pas de plus.

Un corps agité de faibles soubresauts gît sur un banc creusé dans la pierre. Une jeune fille en haillons, les cheveux crasseux, tend la main vers l'enfant et se tient la gorge, bouche béante. Le râle devient un halètement convulsif tandis que les couleurs désertent son visage.

Le garçon lâche la lanterne, regarde autour de lui et se précipite vers la jeune fille.

Un cri rauque résonne dans la salle.

Un son qui incarne la mort, semblable au mugissement d'une corne de brume.

Pétrifié, le garçon se fige à moins d'un mètre de la jeune fille dont la main suppliante fouette le vide.

La renégate se laisse tomber de la voûte.

Une fois encore, Cerne ne peut s'empêcher d'éprouver une profonde fascination pour la créature qui se pose en silence derrière l'enfant. De la taille d'une femme adulte, elle est nue. Son corps plantureux irradie une beauté sauvage. Des fesses rebondies, des cuisses larges et musclées, une taille arrondie. Une bouffée érotique le submerge. Comme dans ce rêve qui revient trop souvent, d'une violence inouïe, où il possède celle qui fut la première, où il s'enfonce entre les cuisses charnues en quête d'une expérience rédemptrice.

Le visage rond de la renégate affiche une moue trompeuse, tourné dans sa direction comme si elle se méfiait et décelait les prémisses d'un piège. Sur son crâne rasé, Cerne distingue les cicatrices de combats oubliés.

L'armure le protège du regard acéré de la créature. Elle finit par agiter ses ailes dans un froissement étouffé. Deux membranes couleur d'ivoire dont l'envergure dépasse les cinq mètres. Leurs nervures se détachent dans la lumière rasante de la lanterne. Le dessin d'une apocalypse, des Lignes-Vie telles que les renégates aimeraient les tracer à la surface du monde.

Cerne se décale d'un pas pour garder l'enfant en vue. Ce dernier a abandonné la jeune fille et fixe, éberlué, la fée qui s'avance vers lui d'un pas délié.

Les jambes du garçon se dérobent. Il tombe à genoux, les mains vissées au cœur. Sa fée subit désormais de plein fouet l'altération des champs féeriques et ne parvient plus à le maintenir debout.

Cerne veut intervenir avant que la fille ne meure. Celle-ci a servi d'appât à la renégate au même titre que l'enfant qu'il utilise. Pour l'heure, il garde l'initiative à condition que la jeune fille qui agonise ne rende pas son *dernier soupir*, décuplant ainsi la puissance de son bourreau.

Il passe à l'attaque de manière foudroyante.

Quatre enjambées pour quatre inspirations sculptées du bout de la langue tandis que l'enfant se livre à la renégate, la tête dodelinant, les bras ballants le long du corps.

Quatre pas pour armer le poignard dans la main gauche et couper à l'origine du mal, aux jointures des ailes.

L'air saturé par les miasmes de la renégate a la consistance de l'huile lorsque la lame fuse vers les omoplates. Le geste, répété mille fois, doit s'accomplir sans la moindre hésitation : se présenter de face pour couper la jointure gauche de bas en haut puis se décaler sur le flanc pour accompagner la trajectoire de la lame et trancher la jointure droite de haut en bas. Une chorégraphie savante que son cerveau, irrigué par le souffle, décrypte comme les rouages d'une horloge.

Un décalage infime enraye son mouvement. Cerne le sait avant même que le poignard n'achève sa trajectoire vers la première jointure.

La lame fend un premier *soupir* brassé par les ailes de la renégate. De petites sphères invisibles qui flottent en suspension entre les deux membranes.

Cerne n'a rien vu. Au contact du soupir, la lame vieillit instantanément entre ses doigts et s'éparpille en poussière de rouille avant d'avoir atteint sa cible.

Il lâche son arme avant que le poison n'atteigne sa main et se jette au sol pour éviter d'autres soupirs éparpillés par un battement d'aile. La renégate fait volte-face, le visage déformé par un rictus sauvage.

L'enfant sort de sa torpeur. Cerne se relève et tousse à deux reprises pour repousser les soupirs. Une quinte sèche destinée à gagner du temps.

La renégate commence à tournoyer lentement autour de lui, un bras replié sur ses seins. L'autre est tendu devant elle. Ses doigts jouent dans le vide un ballet mystérieux.

Cerne tressaille au moment où le champ féerique se trouble et floute le décor autour de lui. La renégate veut le contraindre à baisser la garde en l'obligeant à retenir sa respiration.

Il n'a pas le choix. Autour de lui, la pièce semble se rétrécir.

Ses réflexes prennent le dessus. Il entre en apnée et pivote sur lui-même pour rester dans l'axe de son adversaire. Ses narines s'ouvrent pour aspirer les cerceaux de son armure. Un à un, les filaments se rompent et grimpent vers son nez en serpents de brume.

Cerne n'a qu'eux pour agir. La glotte fermée, il ne peut plus solliciter sa fée.

Dans sa bouche, les filaments se sont amalgamés pour former une bouillie éthérée. Sur sa langue, il sent leur amertume. Ses mâchoires s'animent pour mâcher le souffle et le filtrer entre ses dents.

Il n'aura qu'une seule chance.

Le comportement de la renégate l'intrigue. Contre toute attente, elle réprime ses instincts et prend son temps. De mémoire, il n'a jamais vu cela.

Soudain, elle libère ses seins pour joindre les mains à hauteur de la bouche et souffler dans sa direction.

Un simple murmure. Les renégates n'ont pas la faculté de parler et les mots qui résonnent à l'oreille de Cerne sont fragmentés, recomposés à partir de tous ceux qu'elles recueillent aux lèvres de leurs victimes.

Je... veux... te parler.

Cerne fronce les sourcils. Elle cherche sans doute à briser sa concentration. Sa propre fée presse contre sa glotte, incapable d'accepter cette apnée autodestructrice. Sa cage thoracique résonne de ses coups de boutoir paniqués.

La renégate replie brutalement ses ailes et souffle de nouveau dans sa direction.

Les mots explosent dans le crâne de Cerne :

Aide-moi.

Suivi d'un silence puis, d'une voix différente, celle d'un vieil homme, elle hurle :

Je vous en supplie...

22

2

« L'axe est déterminant pour mesurer la force mentale de ton esprit. Le désaxé, lui, court au-delà des points de fuite et se perd à l'horizon. Alors, axe-toi, axe ton esprit pour trouver ta place. »

Johen SERVAL,
Préceptes à la sanguine

Lilas se réveille brutalement. Dans la chambre, rien ne bouge. Elle est en sueur et sent le lin de sa robe de chambre coller sous ses seins. Ses cheveux sont mouillés.

Son compagnon, Errence, dort à ses côtés comme un gisant, les mains croisées sur le ventre. Sa respiration légère la rassure. Elle dépose un baiser sur son front et bascule les jambes en dehors du lit.

La peur.

Elle sait déjà qu'il ne s'agit pas d'un cauchemar. La sensation lui vient de l'intérieur. Elle délace le haut de sa robe et constate que l'épiderme est irrité, preuve que la fée logée dans son cœur est troublée, peut-être même en éveil. Elle se lève en prenant garde de ne pas faire grincer le sommier et s'approche d'une lucarne qui ouvre à l'arrière de l'auberge.

L'air venu du large l'apaise. Elle expire et sourit lorsqu'une violente bourrasque ébranle la bâtisse et lui rafraîchit le visage.

— Amour ?

Hissé sur les coudes, Errence l'a interpellée d'une voix pâteuse, les yeux rougis de fatigue.

— Je ne voulais pas te réveiller, lui souffle-t-elle. Dors, tu dois être épuisé.

Elle a vu, sur la table de chevet, le chandelier boursouflé de cire, le grimoire ouvert et la carafe vide.

— Trop bu, encore… grimace-t-il.

Elle ne parvient pas à sourire et reporte son attention sur l'horizon. L'aube ne va pas tarder à se lever. Le ressac hachure une mer couleur d'ardoise. Elle a froid et referme la lucarne.

— Tu es inquiète, dit Errence. Viens.

Elle se glisse sous la couverture. Errence se décale pour poser la tête sur ses cuisses et caresse son genou du bout de l'index.

— Un mauvais rêve ? demande-t-il.

— Non, un avertissement.

Le doigt de l'elfe se fige :

— La fée ?

— Oui. Enfin, je ne sais pas. C'était étrange… inhabituel.

— Elles font des cauchemars, elles aussi.

— Que je ne ressens plus depuis longtemps, amour. Non, elle m'a parlé. Elle… Elle m'a dit qu'il *fallait* avoir peur.

Un silence les sépare. L'elfe se redresse, saisit un monocle et le fixe d'un geste exercé aux minces crochets semés autour de son orbite gauche. L'artefact s'enclenche avec un cliquetis et arrache une grimace à Lilas. Une vague odeur opiacée se répand dans la pièce.

— Déjà ? dit-elle en fixant les pupilles dilatées de son amant.

Il hausse les épaules et sourit.

— Tu pourrais attendre, maugrée-t-elle.

Il se penche pour embrasser son épaule. Elle frissonne et se glisse hors du lit.

La chambre lui semble soudain trop étroite.

Le parquet est glacé sous ses pieds. Une cape de laine noire jetée sur les épaules, elle descend dans la salle principale de l'auberge. Personne n'est encore levé, pas même la vieille Soline. Elle sort par les cuisines et emprunte une porte dérobée dont elle conserve la clé suspendue à son cou.

La cour pavée située à l'arrière du bâtiment mesure tout juste vingt mètres carrés. Cadrée par de hauts murs enduits d'une couleur fauve, elle abrite un arbre mort et une statue qui représente un nain dans la force de l'âge, la barbe soigneusement taillée en rectangle, assis sur une grosse racine apparente.

Lilas s'approche de Frêne, son mari, figé pour l'éternité.

À son nom, elle associe, comme tous les nains, une marque du souffle pour le différencier de tous ceux qui portent le même patronyme. Une marque intime que son peuple pratique comme une signature intangible.

Les dix années passées ont marqué la statue. La pierre s'est creusée là où ruisselle l'eau de pluie, le sel a rongé les arêtes. Elle craint, parfois, de se lever un matin et de ne plus le reconnaître, mais elle n'a jamais renoncé à sa promesse de le laisser reposer sous les étoiles.

Elle sait qu'il est ici et partout. Lorsque l'Ancrage s'est achevé, sa fée a quitté son cœur pour devenir une fée-Nexus qui imprègne l'auberge et la relie à Médiane par un fil vital.

Elle pose un long moment ses lèvres au sommet de son crâne, à la limite d'une tonsure qu'il porta, jadis, comme une marque de piété.

Sous sa bouche, la pierre est tiède, rassurante.

Elle finit par s'asseoir sur les genoux de la statue, indifférente à la bruine qui commence à tomber.

— J'ai eu peur, cette nuit, dit-elle au creux de son oreille.

L'aveu lui noue le ventre.

— Je crois que la fée a essayé de me prévenir, confie-t-elle en portant la main à son cœur. Peut-être que je vieillis, peut-être que je ressens l'Appel comme toi. Tu as eu peur, toi, lorsque tu l'as entendu ? Tu n'en as jamais parlé.

Le grondement de la mer enfle derrière l'enceinte de la cour. Lilas ferme les yeux. Elle a toujours su maîtriser ses émotions, elle a appris dès son plus jeune âge à faire jeu égal avec les hommes de la famille. Elle a oublié depuis longtemps le goût des larmes, et pourtant, à cet instant précis, elle se sent fragile.

— Il est arrivé quelque chose aux enfants ? demande-t-elle. Je l'aurais senti, non ?

Elle lève les yeux vers la lucarne et poursuit :

— C'est Errence, c'est ça ? Il tousse beaucoup, il dit souvent qu'il va mourir et qu'il n'a pas de temps à perdre. Il est peut-être malade ? Non, pas lui. Il me le dirait. Et Soline ? Elle est heureuse, je crois…

Lilas s'interrompt. Une lumière a jailli derrière les volets du premier étage. Lorgue vient de se lever. Un ami, un ancien du palais, qu'elle abrite ici cinq jours par mois en échange de quelques travaux.

La statue demeure silencieuse. Lilas sait qu'elle n'obtiendra pas de réponse. Frêne n'appartient plus à ce monde. La pétrification a fait œuvre d'accouchement : la fée qui le maintenait en vie a quitté son corps pour permettre la fondation de cette auberge dans l'ombre de la cité.

Lilas attend un signe comparable à la peur ressentie dans la nuit. Impatiente en tout, elle n'aime ni les mystères ni les ambiguïtés. Elle a besoin d'une certitude que seule la fée peut lui donner. Son intuition n'était pas la bonne. Elle n'aurait pas dû venir ici. La tiédeur de Frêne ne la protège plus.

Le froid, à présent, lui glace les os.

L'auberge du Sycomore compte deux bâtiments. Le premier, avec sa silhouette trapue et ses murs gris, a l'allure d'une forteresse. Construit en rectangle sur une inclinaison nord-sud, il s'est élevé sur les ruines d'une vieille bastide. Lilas a voulu, dès le départ, que le tracé des fondations inspire l'allure de son auberge. Elle connaissait le talent des premiers migrants qui s'étaient installés au pied de la cité, la réputation de ces pèlerins bâtisseurs qui savaient parler aux pierres pour qu'elles résistent à la mer et aux longues tempêtes de l'hiver.

Le second bâtiment, achevé deux ans plus tôt, ne compte qu'un simple rez-de-chaussée. Il abrite les appartements destinés aux sirènes qui font halte au Sycomore. Les trois chambres disposent chacune d'un vaste bassin relié à la mer.

Ces travaux ont asséché le petit pécule mis de côté par le couple avant la pétrification de Frêne. À présent, Lilas vivote sans être à l'abri d'un revers. L'hiver dernier, des vents puissants ont endommagé la toiture. Menacée de ne plus pouvoir payer ses fournisseurs, Lilas a été sauvée grâce à la mobilisation de ses vieux compagnons venus lui prêter main-forte et réparer les dégâts.

Elle connaît presque chaque défaut de son auberge. Elle sait que, sur la façade principale, une fenêtre mal axée ne ferme plus, que trois panneaux de corne installés à l'étage répandent, l'été venu, une odeur forte et désagréable, que des vers à bois ont attaqué sa plus grande table, dans la salle principale, et qu'elle devra dès que possible se rendre dans la cité pour prendre conseil auprès d'un herboriste. Et puis il y a la cuisine, le fourneau qui se fendille. Bien que Soline l'ait mise en garde, elle devra attendre une meilleure saison pour le remplacer.

Soline est levée et ravive le feu dans la cheminée qui trône au rez-de-chaussée. La vieille femme travaille ici depuis le début. Elle s'est présentée cinq ans plus tôt, un matin d'automne, un baluchon sur l'épaule et les cheveux gris en bataille. Elle n'est jamais repartie. Sa cuisine, simple et sincère, a largement contribué à la réputation du Sycomore. Lilas admire cette petite femme énergique au visage fripé qui virevolte dans l'auberge comme un ange gardien. L'été, on peut la voir errer sur le rivage, parmi les rochers, en train de murmurer aux coquillages.

— Vous allez attraper la mort, madame, gronde-t-elle en découvrant Lilas, les cheveux trempés et les pieds nus.

Dans l'âtre, le petit bois crépite.

— Asseyez-vous, ordonne-t-elle avec un sourire en montrant un vieux fauteuil en cuir.

Lilas, reconnaissante, s'exécute et ferme les yeux. Soline prend un moment pour se réchauffer les mains au-dessus du foyer puis approche un tabouret pour masser les pieds de sa maîtresse.

— Vous paraissez soucieuse, madame, dit-elle.

Lilas ne répond pas. Elle pense à la journée à venir, à ce banquet qu'elle doit organiser pour le lendemain, à Diène, cette jeune sirène qui réclame chaque matin une bassine d'eau brûlante.

— Tu t'occuperas de Diène ? dit-elle d'une voix lasse.

Soline hoche la tête :

— Vous n'êtes même pas habillée... Vous ne pouvez pas tomber malade. Demain soir, nous devrons faire face.

Soline se redresse avec une grimace. L'arthrite la fait souffrir, mais elle a toujours refusé qu'un Soupirant fasse le chemin jusqu'à l'auberge pour la soulager. « Trop de frais... », répète-t-elle avec obstination.

— Merci, dit Lilas. Je m'occupe du repas, ce matin. La sirène ne va pas tarder à se lever. Prépare sa bassine.

Lilas éprouve de nouveau le besoin d'être seule. Elle veut oublier le pressentiment de la nuit, mais l'empreinte demeure. Elle attend le départ de Soline et ouvre les six volets intérieurs du rez-de-chaussée pour observer l'aube se lever sur Médiane.

La cité se dévoile dans une lumière blanche, gigantesque navire dont la proue pointe vers le sud. La coque est un éperon rocheux qui culmine à près de cent mètres de hauteur. La ville principale s'est édifiée au sommet avec, pour berceau, le palais des fées dont la silhouette nacrée se détache sur le contrefort du mont Salmète.

Médiane cherche son salut vers le ciel, sur l'axe horizontal tracé par la Ligne-Vie du palais. Sur deux kilomètres de longueur, les architectes n'ont eu de cesse de rester au plus près de ce fil invisible et de chercher la hauteur. Des tours par centaines découpent l'horizon comme la lisière d'une forêt antique.

Blotti sur une presqu'île à l'ouest de l'éperon, le Sycomore vit dans le sillage de Médiane. De la fenêtre, Lilas distingue l'enchevêtrement des masures qui s'empilent sur le flanc ouest de la cité. La ville a débordé et accouché des Bas-Côtés, ces quartiers établis le long de falaises où s'entassent ceux qui n'ont pas les moyens de côtoyer au plus près la Ligne-Vie.

Elle a déjà trop tardé et gagne les cuisines pour se mettre au travail. Ses gestes sont empruntés. L'appréhension demeure et la rend maladroite. Un tablier noué autour de la taille, elle achève de faire cuire du lard lorsque des mains l'enlacent par la taille.

Elle sursaute.

— Salut, amour, dit Errence.

Il a revêtu un surcot de toile blanche, un pantalon et ses vieilles bottes en daim. Ses cheveux blonds, ramenés en queue-de-cheval, dégagent son visage osseux.

— Tu veux que je te laisse ? ajoute-t-il en voyant l'expression de son visage.

— Non, reste.

Elle apprécie qu'il ait pris la peine de la rejoindre ici, aux cuisines. Elle voit bien qu'il est épuisé, même si la drogue agit en surface pour le soulager.

— Tu as faim ? dit-elle.

— Un peu de lait, ça suffira.

Elle le lui sert dans un gobelet en étain où elle verse trois gouttes de miel.

— La fée a parlé ? demande-t-il.

— Non. Pas un mot. Il faudra que je me débrouille.

Il lui attrape une main :

— C'est juste une réminiscence, ne t'inquiète pas.

Elle sourit. Le lait a dessiné un petit trait sur sa lèvre supérieure.

— C'est différent, dit-elle.

— Mais quoi ? Tu veux que j'essaie de prendre contact avec tes fils ?

Lilas hésite. Contrairement aux nains, les elfes, eux, sont capables de voyager par l'esprit à travers les Lignes-Vie tissées par les fées. Il suffirait qu'elle dise oui.

— Il te faudrait combien de temps ? demande-t-elle.

— Une journée, peut-être plus. La Ligne est confuse, en ce moment. J'ai perdu un point de fuite cette nuit.

Lilas acquiesce en silence. Elle sait que les points de fuite sont au cœur de la magie pratiquée par Errence, qu'ils sont autant de jalons mentaux qui relient les horizons successifs des champs féeriques.

— Fais-le, dit Lilas.

Errence achève son gobelet en silence, les yeux fixés sur elle.

— D'accord, soupire-t-il. Je vais travailler dans la chambre. Préviens Soline.

Elle aimerait qu'il reste encore, mais ne fait rien pour le retenir. Depuis peu, elle sent qu'un malaise indéfinissable s'installe entre eux sans qu'aucun ne fasse l'effort d'y mettre fin.

Elle se souvient de la première fois qu'il est apparu sur le seuil de l'auberge. Elle l'avait trouvé plutôt laid : trop grand, trop maigre, trop fragile, en somme. Et pourtant, sans qu'elle y prenne garde, une idée saugrenue lui avait traversé l'esprit : qu'arriverait-il si cet homme-là se glissait dans son lit pour la réchauffer ?

Le soir même, ils se retrouvaient près du feu pour évoquer l'Ancrage de Frêne, ce moment sacré où le nain, après avoir accepté l'Appel, s'était accordé aux pulsations de sa propre fée pour ralentir son métabolisme et cheminer, avec elle, vers la pétrification.

Errence tenait surtout à ce qu'elle raconte les derniers instants partagés avec son mari. L'elfe était curieux et attentif, il l'*écoutait*. Pour Lilas, cette oreille tendue venait comme une libération, deux ans à peine après la pétrification. Elle cherchait depuis longtemps quelqu'un susceptible d'entendre son histoire sans la juger. Elle avait apprécié qu'il n'insiste pas lorsque, faute de maîtriser son émotion, elle sentait les mots la fuir.

À l'aube, ils avaient été réveillés par Soline, blottis l'un contre l'autre devant la cheminée. Le soir même, Lilas ouvrait son lit à Errence.

Elle n'avait jamais cru pouvoir l'aimer. Pas au début, du moins. Ils se côtoyaient avec une tendresse un peu

34

gauche, ils se découvraient sur un terrain dangereux, celui d'un passé qu'elle cherchait à oublier et que lui tenait tant à exhumer.

Ils avaient laissé le désir mûrir. Elle avait redouté le dégoût en présence d'un corps dont les os étaient semblables à du cristal, elle avait craint de ne pas savoir caresser sa peau presque transparente, aussi délicate que du papier. Il avait fallu oublier les étreintes moites et féroces de Frêne, il avait fallu accepter qu'Errence la chevauche sans qu'elle puisse le sentir véritablement peser sur elle. Elle n'y était pas toujours parvenue. Plusieurs fois, elle l'avait repoussé sans explication, mal à l'aise et agacée par ses délicatesses. Il lui avait enseigné une autre façon de faire l'amour. Quelque chose de plus lent, de plus doux. Elle s'était fait une raison, reléguant tant bien que mal dans un coin de son esprit le souvenir des bras épais et déterminés de Frêne, de la force avec laquelle il la soulevait pour la porter dans leur chambre, la déposer sur le lit et la prendre, sans un mot, avec le regard fiévreux.

L'odeur de brûlé la tire soudain de sa rêverie. Elle entend la voix perchée de Soline qui vient de faire irruption dans la cuisine :

— Madame ! Enfin !

La vieille femme s'interpose entre Lilas et les fourneaux :

— Vous n'êtes bonne à rien, madame, dit-elle à voix basse.

— Excuse-moi.

— Allez vous habiller, soyez gentille. Je m'occupe de tout.

Lilas n'insiste pas. Elle dépose un baiser fugace dans les cheveux de Soline et grimpe jusqu'à sa chambre.

Errence est assis sur le lit, les jambes glissées sous un pupitre que Lorgue a fabriqué pour lui. Une écritoire ouverte est disposée à côté de lui, sur les draps froissés.

Il écrit, les lèvres plissées, et sa main gauche, d'ordinaire si mesurée, s'agite furieusement au-dessus d'une feuille de parchemin. Lilas sait qu'il canalise ainsi son attention sur les mots pour affiner sa perception du souffle. Errence voyage toujours par les mots avant de voyager par l'esprit. Elle observe ses yeux fixés sur un point imaginaire avec la certitude que ce regard couve un secret qui tient aux origines du souffle, à son essence volatile.

Pour lui, les mots permettent une appréhension structurée de la magie. D'autres choisissent la musique ou s'accordent à la respiration syncopée d'une « sœur haletante ». Lilas n'a jamais été de ceux-là. Elle considère le souffle comme une énergie tangible, presque minérale, qu'elle façonne au même titre que l'argile.

Errence tressaille et se cambre sans cesser d'écrire. Ses lèvres s'entrouvrent et laissent filtrer un mince filet de vapeur mordorée qui serpente contre sa joue et se perd dans ses cheveux.

Lilas se détourne, gênée par cet abandon, et se déshabille en silence. Elle s'observe un moment, sans complaisance, devant le miroir en pied installé près de la lucarne. Elle soupèse ses seins, petits et ronds, qui pointent dans la fraîcheur de la pièce. Depuis près de six mois, elle grossit sans vraiment y prendre garde. Ses

hanches se sont élargies, son ventre aussi. Des verge-
tures sont apparues en haut des cuisses.

Elle n'a jamais vraiment été à l'aise dans son corps.
Elle trouve ses épaules trop droites, ses lèvres trop
petites. Pour autant, elle aime ses cheveux : longs, roux
et semés de grosses boucles. Elle n'a jamais utilisé les
onguents que les rares colporteurs, de passage dans son
auberge, ont voulu lui conseiller en s'extasiant sur sa
chevelure.

Elle pince la graisse de ses hanches entre ses doigts, le
nez froncé. Elle porte en elle l'héritage des nains ; sa
chair tout entière vibre au chant de l'Ancrage et
s'empèse avec l'âge jusqu'au jour où, à son tour, elle
entendra l'Appel venu de la terre.

Ses premières rides sont visibles au coin des yeux.
Elle a quarante-quatre ans et en paraît cinq de moins,
aux dires de son entourage. Elle n'en est plus très sûre.
Depuis la disparition de Frêne, elle n'a pas très envie de
prendre soin d'elle. Il lui manque un regard qui la
convoite et l'attise.

Elle procède à une toilette sommaire et s'habille en
hâte. Sur une chemise de laine blanche, elle enfile une
première tunique rouge sombre qui la couvre jusqu'aux
genoux puis une seconde, plus longue et plus ample, de
soie noire, fendue devant et maintenue par deux fibules
d'argent.

Elle n'a pas le courage de se peigner. Elle chausse ses
bottines et s'observe une dernière fois dans le miroir. De
son visage rond et pâle, elle préfère ses sourcils, deux
longues virgules d'un roux clair, presque blond, qui
contrastent avec ses yeux noirs. À tout prendre, elle

aurait préféré des oreilles plus discrètes : du plat de la paume, elle arrange quelques boucles pour les masquer.

Errence gémit dans son dos. Elle le découvre recroquevillé entre les draps, les mains glissées derrière la nuque, le visage noyé par les vapeurs du souffle. La plume a bavé sur le matelas et laissé une large tache d'encre.

Elle détourne le regard.

Je t'ai demandé de contacter les enfants et, à te voir ainsi, la conscience à la dérive, le corps abandonné, j'ai peur de ne jamais comprendre pourquoi tu es là, avec moi. Il faudra bien que tu vives un peu *près de moi*. Que tu me montres que nos vies croisées ne sont pas le jeu d'un hasard, un remède commode à nos solitudes.

Elle s'apprête à quitter la chambre et se fige, une main sur la poignée de la porte.

Un soupir meurt sur ses lèvres.

Elle revient sur ses pas et pose un baiser appuyé sur les lèvres de l'elfe.

— Ne tarde pas trop, murmure-t-elle.

3

« Le souffle doit être organique avant de devenir un concept en mouvement. Je veux l'entendre dans tes entrailles, je veux le toucher entre tes doigts, je veux le goûter à tes lèvres ouvertes, je veux le voir suspendu à tes sourcils, je veux le respirer dans le creux de tes cuisses. Alors seulement, tu sauras danser entre les lignes et saisir l'horizon. »

COLLECTIF ANONYME,
Éducation d'une demoiselle

Courir. Ne jamais cesser de courir en contrôlant le souffle. L'avoir à ses côtés, tel un compagnon de route, un vieil ami qui vous soutient, le bras glissé sous votre épaule.

Courir, encore. Se souvenir que sa mère compare la pratique du souffle à un exercice de chant, qu'il suffit de contracter le cœur comme on contracte son diaphragme pour travailler sa voix.

Sentir la fée bouger, se débattre et tirer sur ses liens.

Ses liens, ses propres veines. Saule craint parfois qu'elles ne cèdent sous la pression tant la fée s'agite. Certains la disent prisonnière du cœur. Il n'y croit pas. Il la voit plutôt comme l'araignée tapie au milieu de sa toile. Attentive et prête à bondir pour réparer le moindre accroc.

Elle est épuisée, comme lui. Deux nuits entières se sont écoulées depuis qu'il a pris la fuite. Deux nuits sans pouvoir se reposer, les sens aux aguets.

Le souffle s'étiole.

Saule se rend compte de son erreur. Il n'a pas su l'économiser, même s'il n'avait pas le choix. Il fallait mettre, dès le début, le plus de distance possible entre ses poursuivants et lui. Il fallait avancer, loin, très loin, pour ne plus sentir leur haleine contre sa nuque.

Il a su donner à ses pas la légèreté et la puissance d'un galop. Il a exigé de la fée que la réalité se torde autour de lui et l'allège afin que ses foulées s'allongent.

Mais le souffle vient à manquer, le souffle ne coule plus en lui comme une eau revigorante. La source se tarit.

Il pourrait abandonner, l'idée lui a déjà traversé l'esprit. Lâcher cette petite chose fragile qui ne pèse presque rien sur son dos et qui, depuis hier, n'a pas dit un seul mot.

Elle a seize ans, elle s'appelle Brune, elle est humaine. Il l'a enlevée, et sa mère adoptive, la Haute Fée de Médiane, mène la traque.

L'état de Brune l'inquiète. Apathique, la peau glacée et les paupières mi-closes, elle n'est plus qu'une naufragée dont la conscience dérive au gré des courants générés par le manque.

Le manque.

Il l'affaiblit et entraîne peu à peu son esprit vers le fond, là où lui, le nain, n'a aucune chance de la suivre.

Pour se prémunir du froid, il a pris soin d'emporter une large houppelande doublée d'hermine qui les recouvre tous les deux et les fait ressembler à un bossu. Cela, pourtant, ne suffit plus. Il voit bien que les lèvres de Brune ont bleui. Rien n'arrête les morsures de la pluie qui redouble de violence, pas même le voile invisible du souffle qu'il déploie parfois au-dessus de leurs têtes pour s'offrir un moment de répit. À la vue d'une enseigne, il s'est pris plusieurs fois à rêver d'un bain chaud et d'un repas digne de ce nom. Il n'a pas le droit de s'arrêter, pas après tant de sacrifices et d'espoirs.

La Haute Fée n'attend que cela. Le moment propice où le ravisseur de sa fille, exténué, finira par lâcher prise et s'effondrera quelque part, en ville. Où son souffle, enfin à l'arrêt, sera à la portée des tentacules mentaux déployés par ses chasseurs. Le nain n'aurait pas agi autrement. Il a été au service de la Haute Fée, il connaît la façon dont elle procède et dont, chaque nuit, elle s'amuse à choisir ses proies dans les champs féeriques.

Depuis la pointe du jour, il n'a presque plus la force de courir et marche le plus clair du temps, la mâchoire crispée pour ne pas hurler à chaque fois que les pavés disjoints font jouer des aiguilles en fusion à l'intérieur de ses cuisses. Il enrage à l'idée que ses jambes ne le porteront pas jusqu'au soir.

Jusqu'ici, il a fait en sorte que nul ne puisse anticiper ses mouvements. Il a accompli d'innombrables détours, il est même revenu sur ses pas à deux reprises. Il a cru, un moment, pouvoir atteindre le port. Il avait un contact sérieux, un vieux capitaine qui avait accepté de le cacher dans sa cale pour le conduire sur une île frontalière du Royaume affranchi.

Alors qu'il s'engageait sur l'un des immenses monte-charge qui mènent aux quais, il a perçu les fluctuations des champs féeriques. Son souffle a réagi avec une sensibilité exacerbée. Durant un bref instant, il a suffoqué avant de pouvoir inspirer une grande goulée d'air et reprendre ses esprits. Il a cherché le regard de la fée, il l'a sollicitée pour puiser dans le souffle une vision capable de révéler des traces magiques. Il a perdu des forces, mais il a vu les glyphes apposés sur les vieilles structures des monte-charge, des marques qui miroitent sous la lune comme des taches d'huile sous un soleil de plomb. Imprimés à même le bois par l'haleine viciée des Anonymes, ces glyphes donneraient l'alerte s'il passait à proximité.

Il se souvient de son découragement, du poids qui pesait sur ses épaules au moment où il a rebroussé chemin. À cet instant précis, il a su qu'il ne lui restait plus qu'une seule chance, une toute petite chance de sauver Brune.

Il a cru que la surprise jouerait plus longtemps en sa faveur, il a échafaudé l'enlèvement avec une telle minutie qu'il n'a pas vu la faille, la seule et véritable faille qui pouvait le mettre en échec : la Haute Fée.

Elle a réagi dans l'heure qui a suivi, là où Saule en espérait au moins trois avant que l'alerte ne soit donnée. Il croyait affronter une bête assoupie, il doit se mesurer à une mère enragée.

Les moyens mis en œuvre montrent à quel point l'emprise de la Haute Fée s'étend à tous les niveaux de la cité. De la milice aux ligues marchandes, des guildes des Bas-Côtés jusqu'à la capitainerie, personne ne lui échappe, pas même les mercenaires de l'Axile.

Il devine le murmure qui se propage dans la ville et le désigne comme un gibier d'exception. Il connaissait les risques dès lors que l'idée d'enlever Brune s'était concrétisée dans son esprit avant de devenir une nécessité absolue.

Si, par chance, il quitte Médiane, il devra se considérer à jamais en sursis, ne baisser la garde sous aucun prétexte et demeurer dans l'ombre de Brune jusqu'à la mort. Il accepte cette vie-là. À ses yeux, Brune est devenue définitivement sa fille au moment où il l'a hissée sur son dos pour fuir le palais.

Le chasseur a le nez dressé tel un chien à l'affût. Sous la capuche de sa pèlerine, sa bouche s'ouvre et se referme comme s'il respirait avec difficulté. Les coutures qui scellent ses paupières soulignent ses orbites d'un trait jaunâtre.

Son corps malingre se déplace sans grâce. Il longe les murs de la ruelle, il tâtonne en aveugle, les mains en appui sur les façades. Sa tête ne cesse de bouger de gauche à droite, de bas en haut. Des mouvements secs qui lui tordent le cou et lui arrachent de temps en temps une grimace de douleur.

L'elfe ignore presque tout du décor qui l'entoure. Seule une infime partie de sa conscience lui permet encore de coordonner ses mouvements pour se déplacer dans la cité.

Il ne voit pas le monde tel qu'il est, mais tel qu'il a été. Sa fée lui a accordé le second souffle, celui qui retient sa conscience à l'aube du temps. Un regard sur le passé qui gomme les mutations du relief, les interventions de l'homme, l'existence même de cette cité.

L'elfe a abandonné son nom au soir de la révélation, lorsque l'aiguille de son maître a définitivement fermé ses paupières.

Il est un Anonyme, un elfe dévoyé et torturé par les visions du passé.

Personne, dans la cité, n'oserait le frôler ni même demeurer dans son sillage. On les considère, lui et les siens, comme des intouchables.

L'Anonyme vient de s'engager dans une ruelle pentue. Il trébuche, il hésite, désorienté par des marches qui, pour lui, n'ont jamais existé. Au fil des années, il a patiemment forgé une image mentale de la cité, une construction imaginaire qu'il sollicite à chaque sortie pour évoluer tant bien que mal dans le dédale des rues.

L'exercice demeure une épreuve. Chaque pas défie la réalité du second souffle. Il doit taire le murmure de la ville, les échos qui vrillent ses tempes et parasitent sa concentration. Il doit trier les odeurs qui le troublent et lui arrachent des haut-le-cœur.

Il songe à la jeune fille de ce matin. La même inconnue qui vient depuis trois ans pour l'habiller lorsque la Haute Fée sollicite ses chasseurs.

Un jour, peut-être, il trouvera le courage de lui demander son prénom et de lui avouer qu'elle représente le seul et unique moment de grâce qui le maintient en vie, qu'il considère sa luxueuse réclusion dans les sous-sols du palais comme de longues parenthèses qui le séparent de cet instant précieux où il perçoit enfin le petit claquement de ses sandales dans le couloir menant à ses appartements.

Quel âge peut-elle avoir ? Il n'en sait rien, il n'a jamais entendu le son de sa voix. Il n'a que son effluve, au léger parfum de camomille, et le souvenir impérieux de ses doigts.

La Haute Fée ignore que son chasseur n'éprouve plus le moindre plaisir dans les bras des plus célèbres catins mises à sa disposition. Aucune d'entre elles ne peut égaler, en caresses, la rencontre fortuite entre sa peau et les mains chaudes de l'habilleuse.

Il sait qu'elle prend toutes les précautions voulues pour ne pas le toucher, conformément aux ordres, mais il fait en sorte de la surprendre à chaque fois. Elle ne tressaille pas de dégoût lorsque l'incident survient. Elle craint juste de l'avoir blessé ou même choqué, et c'est cela qui l'émeut.

Même s'il ne se lasse pas d'observer sa fée et le jeu des flammes blanches qui l'enrobent, il a souvent ce rêve où quelqu'un – peut-être est-ce elle – arrache les fils qui retiennent ses paupières prisonnières. Le second souffle l'abandonne, le voile se lève et il la voit, l'habilleuse, qui lui sourit.

Il renifle et se force à respirer profondément. Les miasmes de la cité lui tordent les boyaux et repoussent le fantasme dans un coin de sa conscience. Il doit faire honneur à sa maîtresse et se concentrer sur la chasse.

Saule découvre la présence de l'Anonyme bien trop tard pour rebrousser chemin. Concentré sur ses pas, il n'a relevé les yeux qu'au dernier moment et ne peut plus faire volte-face.

Une vingtaine de mètres séparent encore le chasseur de sa proie. Le nain lutte contre son instinct pour se forcer à faire un pas de plus, puis un autre. Il faut avancer.

Il libère sa main gauche et bande ses muscles pour pouvoir soutenir Brune de la main droite. Son poing se referme sur le pommeau de son arme, une lame courte glissée dans un fourreau de cuir.

Un passant les double en se déportant d'un côté de la ruelle pour éviter le chasseur.

Saule souffle pour repousser une mèche de la jeune fille qui lui barre le visage. Il sent sa tête ballotter et cogner contre sa nuque.

Il doit à tout prix éviter la confrontation. Il ne craint pas l'Anonyme, mais son escorte qui rôde forcément non loin d'ici. Si l'alerte est donnée, si le maître peut le localiser, il perdra Brune.

Dix mètres.

Le chasseur progresse vers lui comme un homme saoul. Saule se souvient que la pluie gêne les Anonymes en s'incarnant parfois dans l'autre monde, mais celui-ci ne paraît pas affecté par les gouttes qui ruissellent aux bordures de son capuchon.

La largeur de la ruelle – six mètres tout juste – ne lui laisse aucune chance de passer inaperçu. Il doit frôler l'ennemi.

Chaque détail prend soudain son importance au moment où il parvient à la hauteur de l'Anonyme. Il distingue, à l'étage, la faible aura d'une lumière ; les deux étals fermés d'une boutique sur sa gauche, le porche sur sa droite et son heurtoir de bronze qui représente la gueule d'un renard. Leurs trajectoires se croisent le temps d'un battement de cœur. Le sien, d'ailleurs, se serre sous la pression d'une main invisible. Sa fée réagit à la présence sourde, presque suffocante, de l'intouchable.

Le capuchon de l'Anonyme frissonne. Dans la pénombre du tissu, le nain entrevoit les paupières jaunâtres tournées dans sa direction. Il a senti l'hésitation de l'Anonyme en sa présence. La sienne ou celle de Brune. Sur son dos, l'adolescente s'agite alors que le chasseur les dépasse.

Brune hurle.

Sans même ouvrir les yeux, la conscience poignardée.

L'Anonyme s'immobilise et pivote lentement vers eux. Saule s'ébranle. Du coin de l'œil, il a vu le visage terrifié de Brune et ses lèvres gercées par le froid.

Il court. À perdre haleine.

4

« L'elfe est inapte si tu le résumes à son corps. Ses os de verre suggèrent pourtant que la guerre, demain, devra se résumer aux joutes de l'esprit. J'aimerais, moi, vivre dans un monde où l'issue d'une bataille dépendrait d'un poète. »

POUKRÈNE, *Anatomie désenchantée*

L'auberge s'anime aux premières heures du jour. Le ciel demeure chargé. La pluie s'est alourdie et masque l'horizon d'un voile gris.

Lilas se résigne. Pour y voir clair, il faudra brûler l'huile des lanternes et rogner un peu plus sur les réserves. Des cuisines monte l'odeur des galettes préparées par Soline.

Lorgue est assis près du feu. En retrait, deux hommes parlent à voix basse autour d'un souffle argenté contenu dans une fiole de cristal.

Lorgue se lève pour la saluer. Il mesure bien deux mètres, un véritable géant comparé au mètre cinquante de Lilas. Ils se connaissent depuis près de vingt ans et, de mémoire, elle ne l'a jamais considéré autrement que comme un frère de sang.

Sa franchise et son honnêteté l'ont séduite. Lorgue considère la vie comme un repas d'exception et tient à en savourer chaque instant. Avec l'âge, il est devenu plus taciturne et surtout plus susceptible. Ses colères ont plus d'une fois ébranlé les murs fatigués du Sycomore.

Pour l'heure, elle se serre contre lui et le laisse la soulever pour plaquer un baiser sonore sur ses joues.

— Tu es belle, madame, fait-il en la reposant sur le sol.

Elle se campe devant lui. Malgré un visage massif et un nez trop large, Lorgue peut séduire. Vêtu d'un pantalon serré à la taille et d'une chemise à larges manches, il a enfilé son éternel gilet de peau aux poches garnies d'outils.

— Tu as du travail, gronde-t-elle avec un sourire.

Il se rassoit et hoche la tête :

— J'ai jeté un œil sur les portes de l'écurie. Tu as raison, il faudra équilibrer. Je vais m'en occuper aujourd'hui.

— Il faut que ce soit prêt avant demain, pour le banquet.

— Ce sera fait.

Soline dépose devant lui un plat chargé de galettes qui fument encore.

— Mesdames, de l'air, dit-il. Je mange.

Soline tapote sur son épaule et s'éclipse sans un mot. La vieille dame prend soin de Lorgue. Tous deux se comprennent et ne dérogent jamais à leur promenade quotidienne avant le souper.

Lilas s'installe sur une table ronde, près de l'entrée. Elle a disposé devant elle une chandelle, le registre des comptes, une plume et son encrier ainsi que les différentes missives adressées à son nom par les marchands de la cité.

L'exercice la déprime et lui renvoie une image d'elle-même qui ne lui convient plus. Elle a parfois le sentiment de vivre dans un état de somnolence, de ne plus savoir précéder le destin et de laisser la vie suivre son cours sans rien y changer. Elle a pourtant choisi de vivre ici, à l'endroit même où Frêne a répondu à l'Ancrage. De s'y installer et d'y fonder une auberge pour le garder près d'elle.

Elle songe à Errence. Elle se doute qu'il souffre, à sa manière, de la proximité de son mari, même s'il prétend être venu pour lui. Elle regrette de s'être montrée distante ce matin. Elle se met à sa place et imagine ce qu'il peut ressentir lorsque, à la moindre contrariété, elle préfère se réfugier auprès d'un époux pétrifié plutôt que dans ses bras.

Elle ira lui parler une fois le registre complété.

La matinée est bien avancée au moment où la peur la frappe de nouveau entre les omoplates, comme un coup de poing.

Absorbée par les chiffres, la nuque et le dos doulou-reux, elle tressaille, le souffle coupé. Sa plume griffe la page en profondeur. La salle principale s'est vidée sans qu'elle y prenne garde. Soline doit être aux étages pour procéder au nettoyage des chambres. Lorgue est parti depuis longtemps.

Elle se raisonne, bien que l'angoisse, si violente et si brève fût-elle, vibre encore dans son dos. Elle a senti une présence derrière elle. Une présence *à venir*… Elle détache une fibule pour respirer à son aise et se masse les tempes pour y voir clair.

Cette fois, elle sent bien qu'il ne s'agit plus d'un aver-tissement. La fée de Frêne qui imprègne l'auberge pres-sent un réel danger. Lilas entend la pluie marteler le toit et la corne des fenêtres. Elle sort et s'immobilise sous l'auvent qui couvre le seuil de l'auberge.

Dehors, le vent souffle avec une vigueur surprenante. La pluie danse au gré des rafales. Les bras serrés, elle est convaincue, à présent, que le danger viendra à elle. Quand ? Elle l'ignore, mais l'augure de la fée ne laisse plus aucun doute.

Elle abandonne son registre pour faire le tour de l'auberge. Elle a besoin de marcher, de laisser au souffle le soin de se diluer dans ses muscles et d'alléger la tension qui pèse sur ses épaules. Elle a surtout besoin de parler à Errence.

L'elfe a quitté son lit. Elle le retrouve dans un état proche de l'hystérie, un symptôme qui survient généralement quelques heures après l'apathie des premiers contacts avec les champs féeriques.

Errence a calfeutré la pièce. Une lumière pâle et fracturée filtre à travers les volets. Il ponctue l'entrée de Lilas d'un claquement de langue irrité. Elle voit bien qu'il brasse de l'air, que son corps tout entier s'agite pour que les vapeurs du souffle qui s'échappe de sa bouche saturent la chambre.

L'odeur, lourde et sucrée, est écœurante. Lilas referme soigneusement la porte derrière elle et tâtonne pour s'asseoir sur le bord du lit. Errence tournoie autour d'elle comme un fantôme.

— Je suis inquiète, dit-elle.

L'elfe ne répond pas. Ses pas s'accélèrent. Sur le parquet, ses pieds émettent un frottement continu.

— Errence. Je suis inquiète, répète-t-elle.

Elle ne veut pas s'immiscer dans le rituel, mais elle sait qu'il peut l'entendre et fractionner ses pensées pour tenir une conversation tandis que l'essentiel de son esprit flotte à travers les Lignes-Vie.

Ses pas consentent à ralentir.

— Raconte, dit-il brusquement.

— La même impression que cette nuit. Un danger imminent.

— Ferme l'auberge. Ferme les portes. Arme-toi.

— Je dois garder la tête sur les épaules. Ce n'est peut-être qu'une résilience.

— Possible. Il faut que nous sachions si c'est Frêne qui te parle ou ta propre fée.

— C'est la mienne, j'en suis presque sûre.

— Ta fée est ici, sous ta peau. Et elle est avec moi, là-bas. Sur les Lignes et dans les Lignes. Elle est *axée*. C'est la deuxième fois qu'elle te parle. L'écho prémonitoire fait sens. Forcément sens.

Il s'impatiente. Il lui a soufflé les derniers mots au visage comme s'il voulait la chasser et tambourine du bout du pied. Elle tousse, la gorge irritée.

Un bref instant, elle songe au palais, au parfum d'antan dans le vieux quartier qui ceinture l'immense édifice, ce mélange d'épices et de remugles exhalés par les égouts. L'odeur de la réalité.

Les derniers mots prononcés par Frêne lui reviennent brutalement à l'esprit : « Maintenant, oublie-moi. »

Elle n'y est jamais parvenue. Ni le premier jour ni cinq ans après. Elle est restée auprès de lui alors qu'il suffisait de partir, de confier ce nouveau sanctuaire à une personne de confiance et clore cette vie-là pour en construire une autre, aussi loin que possible de leurs souvenirs. Combien de fois ne s'est-elle pas réveillée en proie à une colère froide, persuadée qu'enfin, elle trouverait le courage d'exprimer sa rage, de lui dire combien elle lui en voulait d'avoir osé exiger l'oubli. À deux reprises déjà, elle a marché vers la statue armée d'un lourd maillet. À deux reprises, elle a échoué, incapable de frapper.

— Assieds-toi, dit-elle d'une voix forte.

Errence s'exécute. Il est si léger qu'elle sent à peine le lit ployer sous son poids. À sa façon, il a achevé de tisser la toile qui la retient prisonnière ici. Elle ne peut pas lui en vouloir de se passionner pour l'Ancrage, de chercher un sens au rôle des nains dans la propagation des Lignes-Vie. Elle éprouve un respect sincère pour son travail. Elle a longtemps aimé le voir penché sur son pupitre et reconnaître la petite moue qui déforme ses lèvres lorsque l'écriture l'absorbe tout entier. Où vivrait-elle aujourd'hui s'il n'avait jamais franchi les portes du Sycomore ?

Elle chasse la question d'un battement de paupières, un peu honteuse. C'est elle qui n'a jamais eu le courage de partir, c'est elle qui a décidé de lui ouvrir son lit avec, peut-être, l'envie secrète d'en faire un prétexte pour demeurer auprès de Frêne.

Jusqu'à l'Ancrage, rien n'avait pu faire obstacle au sens qu'elle donnait à sa vie. À vingt ans tout juste, elle devenait la plus jeune guerrière admise au sein du palais. À vingt-quatre ans, elle était reçue par la Haute Fée de Médiane en personne, qui lui avait alors confié la garde de ses appartements. Un an plus tard, elle présidait le banquet des gardes du corps et rencontrait pour la première fois son futur mari.

S'est-elle considérée comme morte depuis la disparition de Frêne ?

Elle attrape les mains de l'elfe dans les siennes. Ses doigts sont brûlants. Elle les porte à sa bouche et dépose un baiser à leurs extrémités.

— Je ne sais plus si je t'aime, dit-elle.

Dans un premier temps, il ne dit rien. Puis, dans la pénombre, elle le voit hocher la tête.

— Moi non plus, répond-il.

— Tu veux qu'on parte ?

— Partir…

— Essayer nous deux, loin d'ici.

— Tu crois qu'il suffit de changer d'air ?

Le front de Lilas se plisse :

— Je te parle de tout abandonner.

— Tes enfants ?

— Ils n'ont plus besoin de moi depuis longtemps.

— Je touche au but, amour. Je ne peux pas… pas maintenant.

— Sans ça, tu n'existes plus, je le sais bien. Mais tu peux recommencer ailleurs. Il y a d'autres Frêne.

— C'est toi qui dis ça…

— Oui, c'est moi. Le temps passe très vite, amour. Je ne sais si c'est ce que la fée a essayé de me dire, mais depuis ce matin, j'ai l'impression de… de me réveiller d'une très longue nuit. Ou d'un rêve, d'une torpeur, je ne sais pas trop.

— Je crois que je comprends.

— Je ne pense pas. Je suis en train de te dire que je suis malheureuse, amour. Que je ne suis plus certaine de t'aimer. Et tu hésites encore…

Il acquiesce et ne parvient pas à soutenir son regard.

Aucun des deux ne brise le silence jusqu'à ce qu'elle franchisse le seuil de la chambre. Parvenue au milieu du couloir, elle l'entend distinctement marcher dans la chambre pour poursuivre le rituel.

Jusqu'au crépuscule, elle s'est absorbée dans le travail pour neutraliser ses pensées. Elle y a consacré toute son énergie et a même fini par s'attirer les regards appuyés de Soline. « Vous allez y laisser votre souffle… » lui a-t-elle lancé entre deux allers et retours aux cuisines. Lilas n'a pas daigné lui répondre.

L'auberge a fait vingt-trois couverts pour le déjeuner et n'a pas désempli jusqu'au milieu de l'après-midi. Les pêcheurs au repos sont venus en nombre pour apprécier le célèbre rouget de Soline et siroter, autour du feu, une liqueur au cassis importée des Cimes.

Le temps n'a cessé de se dégrader au fil de l'après-midi. Une pluie lourde tambourine sur le toit et résonne à travers tout le bâtiment.

L'auberge s'est vidée au moment où le soleil plonge à l'horizon.

Le dos douloureux, Lilas achève de nettoyer le comptoir et décide de s'accorder un moment de répit. Elle ranime le feu et se renfonce dans un vieux fauteuil de cuir. De la porte qui mène aux cuisines filtre l'odeur des pâtés en croûte que Soline sort tout juste du four. Par souci d'économie, les lanternes du rez-de-chaussée ont été soufflées. Seules les flammes éclairent d'une lumière dansante les murs de la salle.

Elle s'assoupit, bercée par le vacarme de la pluie et le ronronnement des flammes. La chaleur l'enrobe comme une couverture et lui caresse la plante des pieds.

Rien ne l'a préparée à ce nouveau coup de poignard. Cambrée par la douleur, elle pousse un gémissement et tente, par pur réflexe, d'établir le contact avec sa fée.

Son cœur demeure clos et la fée silencieuse.

Elle se lève. Prise de vertige, elle se raccroche au montant de la cheminée et sent que la douleur reflue.

Trois coups sourds résonnent à la porte principale du Sycomore. Elle se souvient avoir fermé la porte avant de s'installer près du feu.

Le danger. Tout près.

Au prix d'un terrible effort, elle recule vers le comptoir et se glisse derrière pour saisir une hachette. Recouverte d'une fine pellicule de poussière, l'arme n'a pas servi depuis longtemps. Elle s'assure de l'avoir bien en main et lance en direction des cuisines :

— Lorgue, à moi ! Maintenant.

Elle a crié pour se faire entendre.

Des coups plus forts font vibrer la porte.

Lorgue apparaît, les yeux mi-clos. Son regard va de Lilas à la porte. Il hoche la tête et dégaine un long poignard d'un étui de cuir fixé à la hanche. Un bref instant, Lilas se revoit des années en arrière. Tous deux figés derrière une porte dérobée des appartements de la Haute Fée.

Un coup puissant, sans doute la charge d'une épaule, ébranle violemment la porte. D'un regard, Lilas intime à son compagnon de prendre position d'un côté tandis qu'elle s'approche discrètement d'une fenêtre pour jeter un regard à l'extérieur. Elle distingue tout juste une épaisse silhouette qui prend son élan pour se jeter de nouveau contre la porte. Un murmure assourdi lui parvient. Un cri de rage, un cri de défi. Et une tonalité qu'elle reconnaîtrait entre toutes.

Sous le regard circonspect de Lorgue, elle lâche son arme et se rue sur le verrou pour ouvrir à son fils.

5

« Si la Haute Fée préfigure le commen-
cement, quelle sera la fin ? Je sais qu'il
existe un pays où les hommes se rassem-
blent pour que leurs cœurs jouent une
seule et même partition. Alors, je vous
pose la question : les Hautes Fées appar-
tiennent-elles au même orchestre ? »

Maître GEHART,
extrait du discours
« Universalité linéaire »

Aide-nous, répète la renégate.

Cerne prend conscience que sa vie va changer.

Jusqu'ici, il a défini sa propre trajectoire, sa propre histoire dans le sillage de la Haute Fée. Il a chassé et exécuté les renégates avec une conscience aiguë de son rôle à l'échelle du monde.

Elles sont près d'une centaine et d'autres viennent encore. Leurs pieds nus froissent la pierre comme du savon noir.

Je dors. Ou peut-être suis-je déjà mort, pense-t-il.

Un souvenir l'effleure. Un combat livré dans une taverne anonyme où trois renégates s'étaient retranchées. Un combat aux limites de son art qui l'avait meurtri aux tréfonds de sa chair et l'avait écarté de la vie pendant près d'un an. Souvenir d'un lit jauni de sueurs, de « murmurines » pressées à son chevet et de rêveries sans fin jusqu'à ce que le temps fasse son œuvre et dissolve les nécroses qui marquaient son corps.

Les renégates se pressent en cercle autour de lui, les ailes repliées. À mesure que les champs féeriques agonisent, Cerne contemple ce qu'aucun autre n'a vu avant lui. Des corps lourds et gras voisinent avec des silhouettes squelettiques, des jambes striées de cicatrices se confondent avec d'autres, encore indemnes, fuselées, aux proportions sublimes. Des seins, des hanches, des lèvres épaisses, des visages fins, d'autres ridés forment un ballet sensuel qui sature ses sens.

Pour la première fois, il doit baisser les yeux, incapable d'affronter les regards glacés fixés sur lui.

L'air n'existe plus, annihilé par la présence des renégates.

Il ressent le besoin de sauver l'enfant affaissé à ses pieds. La bouche ouverte, les yeux révulsés, il se débat faiblement comme un poisson hors de l'eau. Cerne se penche sur lui et commence un bouche-à-bouche régulier.

Les renégates se rapprochent. Une odeur musquée a envahi l'espace.

Cerne offre son souffle à l'enfant et parvient à établir un contact ténu avec sa fée. Le garçon cesse de s'agiter.

Un genou à terre, Cerne l'aide à s'asseoir et le cale contre sa jambe.

— Je suis là, dit-il.

Autour de lui, les renégates forment un rempart étouffant. L'une d'entre elles tente de lui agripper les cheveux. Il se dérobe, le temps qu'une autre ramène sa semblable à l'ordre. Cerne se doute qu'une force inconnue empêche les renégates de fondre sur lui et se refuse encore à imaginer la suite. Si les renégates parviennent à s'unir, l'existence même des Lignes-Vie est en jeu.

Il faut… retrouver… ce qui nous rassemble.

Les propos décousus de la renégate résonnent de nouveau dans son crâne.

La mère est là, ajoute-t-elle.

Cerne se focalise sur sa propre respiration. Pour les renégates comme pour les Hautes Fées, la mère désigne la Fée primordiale, celle qui a fait le monde et accepté de le sauver malgré la Rupture.

Elle vous a pardonné, dit la renégate comme si elle lisait dans son esprit. *Vous avez voulu asservir les Verticales. Elle les a coupées, elle s'est mutilée pour vous.*

Cerne se relève et tournoie sur lui-même.

Il connaît l'histoire. Il sait que jadis, les Lignes-Vie rayonnaient depuis la Fée primordiale et s'élançaient à travers l'espace pour relier chaque étoile à sa Fée primordiale dans une toile cosmique. Les Verticales vibraient ainsi à une échelle insondable avant que les hommes, une fois leurs temples construits, ne tentent de les contrôler. La Fée primordiale avait pardonné et s'était mutilée. Elle avait coupé les Verticales et cautérisé ses plaies en élevant ses filles au statut de Hautes Fées afin qu'elles fondent l'horizon, une perspective incarnée par les Lignes-Vie.

Cerne a lu d'innombrables récits qui content la naissance du nouveau monde après la Rupture, ce moment où les fées se sont substituées aux cœurs des hommes pour les sauver et réinventer l'architecture de la magie.

Nous sommes orphelines… nous voulons retrouver… les champs stellaires.

Cerne tressaille. Les renégates sont des créatures impies, des aberrations qui tentent depuis toujours de découdre les Lignes-Vie.

Des désaxées.

La mère est parmi nous. Elle… nous a rassemblées. Elle… veut retrouver ses sœurs. Elle veut… rompre l'horizon.

Rompre l'horizon. Elles veulent briser les Lignes-Vie. Cerne pose une main sur la tête de l'enfant comme s'il cherchait un appui.

— Je suis à votre merci, dit-il à haute voix. Je ne sais pas pourquoi vous m'avez choisi, mais vous n'aurez rien de moi. Je préfère mourir.

L'enfant lève les yeux vers lui. Un bruissement agite le rang des renégates.

La mère est venue dans le monde. Elle s'est incarnée. Que veut-elle ? Il faut que tu lui parles.

— J'ai consacré ma vie à vous traquer.

Nous sommes ensemble désormais. Pour la première fois, nous cessons de nous haïr. Vous ne pouvez plus nous atteindre. Toutes les renégates vont venir ici. À Médiane. Pour attendre ton retour. Si tu n'obéis pas, nous allons dévaster cette cité. Pour l'exemple. Pour que tu comprennes. Et nous continuerons jusqu'à ce que tu satisfasses nos exigences.

— Si la mère s'est incarnée, comme vous le prétendez, parlez-lui. Vous n'avez pas besoin de moi.

Elle ne sait pas encore qui elle est, mais elle se méfie. Depuis toujours, elle incarne le principe de la vie. Elle préférera mourir plutôt que de se livrer à nous. Nous avons besoin de toi. Tu seras notre voix. Tu dois la révéler, tu dois lui faire découvrir sa nature. Alors, quelle que soit sa décision, nous lui obéirons.

Cerne éprouve un léger vertige. Les sirènes au premier rang essaient de le palper. Il chasse les plus audacieuses d'une petite tape.

— Finissons-en, dit-il.

Nous avons besoin de toi. C'est une renégate. Tu es le meilleur... tu sauras la retrouver.

Une image s'impose brutalement dans l'esprit de Cerne : sa femme sur un lit défait, entortillée dans un drap maculé de taches sombres. Ils ont le même âge, tout juste vingt ans.

Blotti entre les seins de sa femme, il y a le nouveau-né. Une petite fille qu'elle touche du bout des doigts comme si elle craignait de lui faire mal.

Une terreur muette fige les yeux de sa femme. Cerne refuse encore de croire qu'il a dû étrangler l'enfant de ses propres mains.

Je n'avais pas le choix. Elle était désaxée.

Le souffle perverti circule encore dans le cordon ombilical et le fait tressaillir entre les cuisses de sa femme. Cerne a la sensation que la chambre tangue, que ce décor familier et si longtemps synonyme de leur amour n'est plus qu'un navire fantôme à la dérive.

Sa femme hoquette. Cerne comprend que le mal la ronge de l'intérieur depuis le jour où l'enfant a été conçu.

Le souffle a utilisé le ventre de sa femme comme une matrice.

Aide-nous ! lance une renégate.

La voix cinglante et empruntée de la fée le ramène à la réalité et lui arrache un cri de rage.

Il se jette sur une renégate pour l'étrangler. Le premier rang recule devant l'assaut. Des mains fermes le saisissent et l'immobilisent. Il ne se contrôle plus. Il rue, il hurle des obscénités.

Plaqué au sol, le souffle court, il sent sa rage refluer. Une immense fatigue déferle sur lui.

— Tuez-moi, dit-il du bout des lèvres.

Non. Tu vas sortir d'ici et tu vas retrouver la Fée primordiale.

Un rire clair s'échappe de sa gorge et provoque un frémissement dans les rangs des renégates. L'une d'entre elles s'assoit sur son ventre et referme ses jambes contre ses hanches. Elle saisit son visage avec fermeté et se penche sur lui. Leurs lèvres s'effleurent.

Écoute… Je peux te donner ce que tu cherches. Je peux retrouver le souffle de ta femme. Tu pourras lui parler une dernière fois. Lui dire ce que tu n'as pas su lui dire. Tu nous tues pour honorer sa mémoire. Je vais t'aider à l'oublier.

Taverne des Somnambules.

Cerne observe, les yeux mi-clos, le garçon boire à petites gorgées son verre d'hydromel. Affaissé dans un angle de la salle commune, le dos calé contre un coussin crasseux, Cerne fait tournoyer son propre verre dans la lumière des chandelles qui grésillent sur leur table. Il a déjà vidé deux bouteilles de vin, il s'apprête à écluser la troisième. L'alcool, pourtant, ne parvient pas à chasser l'empreinte des renégates, ni même l'odeur des

70

mendiants qui se pressent au comptoir pour recevoir un bol de soupe.

Cerne aime cet endroit sans trop savoir pourquoi. Peut-être le bruissement lancinant de ces cohortes misérables qui sortent avec un peu d'espoir. À moins que le vin y soit meilleur qu'ailleurs.

— Comment t'appelles-tu ? demande Cerne d'une voix pâteuse.

Le garçon sursaute.

— Lyme.

Cerne trempe les lèvres dans son verre.

— Lyme, dit-il, je veux que tu restes avec moi.

— D'accord.

— Tu as compris ce qui est arrivé là-bas ?

— Non.

— Tant mieux.

— Mais je veux bien que tu m'expliques.

Cerne renifle.

— Nous allons traquer un dieu, lâche-t-il.

Le garçon écarquille les yeux et sourit :

— C'est incroyable, dit-il. Enfin, je veux dire, c'est…

— La fin d'un monde. Ce que tu as vu ne peut pas exister. Théoriquement, du moins. Les renégates sont des animaux. Elles s'entretuent. À présent, elles sont unies.

— Mais… pourquoi ?

— Elles prétendent que la Fée primordiale s'est incarnée à la surface du monde. Elle a agi comme un aimant et comme un baume. Elle les a apaisées.

— Peut-être que la Fée primordiale veut nous sauver.

— De quoi tu parles ?

— Nous délivrer. Comme papa dit. Pour vivre sans fée.

— Arrête. Ton père est un idiot, je te l'ai déjà dit.

Lyme pique du nez dans son verre.

— C'est pas vrai, maugrée-t-il. Il a... peur, c'est tout.

Cerne ferme les yeux. La peur n'a jamais vraiment eu de prise sur lui depuis la mort des siens. Je suis mort là-bas, bien sûr. Celui que je suis aujourd'hui n'est qu'un calque. Un foutu calque qui flotte au gré du vent.

— Nous allons traquer un dieu... répète-t-il à voix basse.

— Et la Haute Fée ? Tu lui obéis. Elle va être d'accord ?

— Elle n'a pas le choix. Les renégates ont généré une coupure dans la Ligne-Vie. Pour le moment, elle doit croire qu'elle peut encore retisser.

— Elle ne pourra pas ?

— Non. Les renégates ont choisi Médiane. Elles vont attendre ici. Et si je n'obéis pas, elles détruiront la cité. Je dois gagner du temps. Faire ce qu'elles attendent de moi pour les tenir en laisse.

Lyme pose son verre et croise les bras :

— Ça t'embête ?

— Quoi ? Qu'elles détruisent cette cité ?

— Oui.

— Tu te fous de moi ?

— Tu n'aimes pas les gens.

72

— C'est ce que tu penses ? Du haut de tes dix ans ?

— Tu m'as sauvé, pourtant.

Cerne hausse les épaules. Un silence s'installe.

— Qu'est-ce qu'on attend ? demande Lyme.

— Rien. J'ai besoin de faire le tri. D'assimiler. Je suis dans cette taverne, au milieu de la nuit et je discute avec un gamin de l'avenir du monde. Ça me donne soif.

— Je comprends.

— Non, évidemment. Peu importe.

— Alors explique-moi. Apprends-moi.

— T'apprendre quoi ?

— Ce que je dois faire.

— Je n'ai pas encore décidé ce que tu allais devenir.

— Je peux t'aider !

Cerne sourit et balaie une bouteille vide d'un revers de la main. En se brisant au sol, elle soulève quelques regards dans la salle commune.

— M'aider à traquer un dieu ? Tu vas m'être foutrement utile, bonhomme.

— Je peux t'écouter.

Cerne fronce les sourcils comme s'il découvrait le garçon pour la première fois. Le front large balayé de mèches brunes, un nez fin comme une étrave entre ses joues creuses. L'enfant, désormais rassasié, goûte à cette nouvelle vie esquissée par son maître.

— Ta fée, il faudra l'éduquer. La dresser.

— Je veux bien.

Cerne grimace, irrité par sa propre faiblesse. Il ne doit rien promettre à ce garçon. Pourtant, il n'envisage pas de s'en séparer. À cet instant précis, sa présence le rassure.

En fait, pense-t-il, sans toi, je crois que j'aurais préféré crever là-bas. Je suis au bout de mon souffle, je le sens. La mise à mort des renégates n'arrive plus à chasser les images du passé.

Toi, je vois bien que tu n'attendais plus rien de tes parents, que leur décision de te vendre t'a convaincu qu'il fallait tourner la page. Étrange que je puisse attacher autant d'importance à ce que tu attends de moi, alors que les fondations du monde semblent se fissurer ici, à Médiane.

Cerne fait claquer sa langue et s'empare soudain d'un couteau.

— D'accord, bonhomme, fait-il en traçant un premier cercle à même le bois. Regarde : ici, le cœur du monde.

Il dessine une croix à l'intérieur et la frappe plusieurs fois à la pointe de son couteau.

— Cette croix, c'est la Fée primordiale.

— Elle est au centre du monde ?

— On peut le dire comme ça, fait-il en creusant un nouveau cercle, plus large, autour du premier.

— La surface du monde. Notre monde.

Il avale une gorgée de vin et marque la table de plusieurs entailles qui rayonnent depuis le premier cercle.

— Les Verticales. Des lignes de force qui émanaient de la Fée primordiale. Comme d'immenses piliers de magie qui crevaient la surface et s'élançaient vers le ciel.

Cerne guette l'approbation de l'enfant. Lyme fait signe qu'il comprend.

— Bien. Ces Verticales menaient vers les étoiles, vers d'autres Fées primordiales. Pour communiquer entre elles, pour vibrer à l'unisson.

— Comment tu sais tout ça ?

— Ne m'interromps pas.

Lyme se renfrogne et acquiesce timidement.

— Fées et hommes vivaient en harmonie. Nos ancêtres bâtirent des temples et des cités autour des Verticales. Ils les honorèrent, ils écoutèrent le murmure des dieux. Jusqu'au jour où ils voulurent aller encore plus loin, où ils voulurent jouer des Verticales comme des cordes d'un instrument. Ils ont voulu *asservir* les Fées primordiales. Tu me suis ?

Lyme hoche la tête.

— La Fée primordiale, *notre* Fée primordiale, n'a pas eu le choix. Elle a rompu les Verticales, elle s'est mutilée pour empêcher les hommes de la contrôler et à travers elle, les autres Fées primordiales.

— Ils avaient de mauvaises intentions ?

— Les hommes ?

— Oui. Peut-être voulaient-ils juste… communiquer ?

— Ce sont des hommes, bon sang, grince-t-il. Je ne sais pas pourquoi j'essaie de t'expliquer tout ça… Bref, c'est la Rupture, l'apocalypse. Les Verticales coupées, le monde s'affaisse sur lui-même. Les eaux recouvrent presque tout, l'air se corrompt et nos ancêtres manquent de disparaître. Il faut que tu comprennes bien ce que je dis : l'air devient impur. C'est là que la Fée primordiale décide de pardonner. Ne me demande pas pourquoi : elle le fait, c'est tout. Elle cautérise ses plaies à la surface du monde avec les Hautes Fées et ce sont elles qui vont retisser la vie, qui vont générer les Lignes-Vie. À ce moment-là, notre cœur n'existe plus. En tant qu'organe, du moins. C'est une fée, désormais, qui siégera à la place du cœur. Pour que l'on puisse vibrer avec la vie qui imprègne les lignes.

Lyme secoue la tête pour signifier son incompréhension.

— Je ne suis pas clair ?

— Si les Lignes-Vie existent, pourquoi une fée à la place du cœur ?

— Pour respirer. Tu n'es jamais sorti de Médiane ? Hors des Lignes-Vie, tu meurs comme un foutu poisson hors de l'eau. Ta fée, elle est là pour le souffle, pour accéder à la magie de la Ligne-Vie. Une fusion, voilà ce que c'est. Aux Verticales, la Fée primordiale a préféré l'Horizon, un canevas qui recouvre la surface du monde.

— Et les sirènes, alors ? Elles peuvent voyager au-delà des Lignes-Vie.

— Je ne suis pas archiviste, bonhomme. Je n'ai pas réponse à tout.

— Et les animaux ?

Cerne grogne et se renfonce sur sa chaise.

— Et les renégates ?

— Un poison. Elles se nourrissent du souffle pour nourrir le leur, elles perturbent les champs féeriques.

— Les champs féeriques, je pourrai les voir ?

— Possible. C'est une autre façon de regarder le monde. Une façon de voir l'envers du décor, de percevoir les fluctuations des Lignes-Vie et de la magie qui imprègne l'air tout autour de nous.

— Tu veux dire qu'ici, dans cette taverne, il y a des champs féeriques ?

— Bien sûr. Bon, ça suffit…

Cerne se redresse avec difficulté, les tempes douloureuses.

— Je t'emmène au palais. Je vais parler à la Haute Fée. J'ai besoin d'elle.

— On va la rencontrer ? s'exclame Lyme.

— C'est ton jour de chance, hein. Contente-toi de la fermer, d'accord ? Tu ouvres les yeux et tu te fais discret. Elle pourrait aimer ton souffle.

— Ce n'est pas bien ?

— Non. Si c'est le cas, j'interviendrai.

— Comment ?

— Je te tuerai.

6

« Un, elle te cherche,
Ne respire plus.
Deux, elle te trouve,
Ne respire plus.
Trois, elle t'embrasse
Ne respire plus.
Quatre, tu es mort.
Respire. »

ANONYME,
comptine

Saule s'écroule dans les bras de sa mère.

Il est là, contre elle, incapable d'articuler, les traits affreusement tirés et le teint de grès. Sous la houppelande qu'elle retire d'un geste sec, elle découvre une humaine.

— Lorgue, prends-la, ordonne Lilas.

Le soldat écarte avec fermeté les bras fragiles de la jeune fille serrés autour du cou du nain.

L'adolescente doit avoir une quinzaine d'années. Les traits crispés, elle gémit et tente de se débattre. Il resserre son emprise et écarte les longues mèches mouillées qui lui barrent le visage.

— Elle va mal, dit-il.

Lilas a fermé la porte, remis le verrou et posé la barre de fer qu'elle utilise d'ordinaire les jours de grand vent. Elle se penche sur son fils et lui soulève délicatement la nuque.

— Saule…

Il a la peau glacée, le corps parcouru de frissons.

— Soline ! s'écrie-t-elle. De l'eau chaude, des vêtements secs !

Elle se tourne vers Lorgue :

— Il leur faut de la chaleur. Amène-la aux cuisines. Je te rejoins.

Elle glisse un bras sous l'épaule de son fils et le force à tenir debout. Elle le sent peser de tout son poids comme s'il avait lâché prise depuis qu'elle a ouvert la porte.

— Tu te lèves, ordonne-t-elle d'une voix grave. J'ai besoin de toi.

La voix claire de Lilas capte les dernières forces de Saule. Ses paupières papillonnent. Il ne peut rien contre ce voile déformant qui fausse les perspectives de la grande salle. Des poutres ondulent avec, en arrière-plan, une tache de lumière qui scintille comme une étoile.

À peine conscient, il se laisse entraîner par sa mère.

Soline n'a pas perdu de temps. Elle a déshabillé l'adolescente, l'a emmitouflée dans une couverture de laine et placée sur les genoux de Lorgue, face aux fourneaux.

Le soldat est ému.

— Allez, frictionne-lui le dos, ordonne Soline en fronçant les sourcils. Tu ne vas pas la casser !

Lilas répète la même opération avec son fils et refuse l'aide de Soline :

— Occupe-toi de la petite. Il est solide, il s'en sortira.

Le temps d'une demi-chandelle, personne ne dit mot.

Les joues de son fils rosissent à vue d'œil. Rassurée, Lilas se campe devant lui et l'agrippe par les épaules :

— Tu dois me parler, maintenant.

Les paupières de Saule tressaillent. Il veut dire quelque chose, mais n'émet qu'un vague grognement.

— Fils, parle-moi, fait-elle en le secouant plus rudement. Que se passe-t-il ?

Pour l'instant, elle ne tient pas à connaître le rôle joué par la jeune humaine. Elle veut juste s'assurer qu'ici, dans les heures qui suivent, les siens ne courent aucun danger.

Elle étouffe un cri de rage lorsque son fils perd brutalement connaissance et bascule en arrière. Elle accompagne sa chute pour le faire glisser sur le sol et se relève, perplexe. Elle ne s'explique pas pourquoi la fée-Nexus refuse d'intervenir pour renforcer le souffle ténu qui s'échappe des lèvres de Saule. Le lien filial entre Frêne et son fils aurait dû jouer.

Elle reporte son attention sur la petite fille que Lorgue serre de toutes ses forces.

L'état de l'adolescente devient préoccupant. En dépit des efforts du soldat et de la vieille cuisinière, sa peau demeure glacée.

— Elle reste froide… dit Lorgue. Ce n'est pas normal.

— Donne-la-moi, ordonne Lilas sous l'œil désemparé de Soline.

Lorgue lui tend le corps frissonnant. Lilas constate que la jeune fille ne pèse presque rien. Le masque qui creuse son visage lui est familier : la mort est à l'œuvre.

— Mais où est Errence, bon sang ? fait-elle en couchant l'adolescente sur un établi. Soline, va le chercher.

— Elle va mourir ? demande Lorgue.

— Si on ne tente rien, oui, affirme Lilas.

Elle ferme les yeux, à l'écoute de la magie. Dans son cœur, la fée se cambre et tire sur ses veines pour mettre en branle les mécanismes du souffle. La brise cantonnée à son cœur emplit ses poumons, monte au travers de sa gorge et envahit sa bouche.

Elle expire au visage de l'adolescente avec l'espoir d'atteindre sa fée. Forgé comme une caresse chaude et apaisante, le souffle ne parvient pas à franchir les lèvres de la petite et provoque une violente réaction. L'inconnue se fige puis commence à se débattre face à un adversaire imaginaire.

— Tiens-la, ordonne Lilas.

Lorgue se précipite pour maîtriser la jeune fille par les chevilles, tandis que Lilas se couche sur elle, en travers, en lui bloquant les poignets. Elle voit bien que l'humaine refuse la magie. Sa tête ne cesse de pivoter de gauche à droite pour éviter que son haleine l'effleure.

Errence pénètre dans les cuisines en compagnie de Soline et marque un temps d'hésitation. À même le sol, il voit Saule inconscient. Sur un établi, Lilas et Lorgue conjuguent leurs efforts pour empêcher la jeune fille de se débattre. Entortillée dans une couverture, les cheveux en désordre et la peau diaphane, l'adolescente semble possédée. L'elfe distingue sans difficulté l'aura maladive qui nimbe son sein gauche.

Il écarte Lilas et Lorgue avec autorité et vient poser la main sur le thorax de l'adolescente. Cette dernière cesse de s'agiter.

La main d'Errence se contracte. À la périphérie d'un sein naissant, il a perçu la présence de la fée. Un petit coup semblable à celui donné par un fœtus à la surface du ventre. Ses doigts jouent sur la peau glacée comme ceux d'un pianiste. Il cherche un contact, il cherche à façonner un écho susceptible de provoquer la résonance.

Il sursaute et retire sa main brusquement, la pulpe des doigts rouge vif.

— Explique-nous, murmure Lilas.

L'elfe ne prend pas la peine de lui répondre. Il a déjà replacé sa main au même endroit pour affronter le mal qui ronge l'inconnue. Un mal qui le révulse. Il connaît cette sensation de brûlure qui monte à l'assaut de son bras, il l'a déjà affrontée et vaincue.

Pour l'heure, il doit en mesurer l'ampleur.

Son bras tremble. Sans sa fée, il est convaincu que son sang se serait déjà mis à bouillir. Le mal ressemble à une bête en cage. À la moindre erreur, il peut ouvrir les barreaux et libérer ce souffle couleur d'onyx qui comprime les poumons de l'adolescente.

— Une renégate, dit-il du bout des lèvres.

Lilas fait un pas en arrière, imitée par Soline. Lorgue, lui, demeure impassible.

Une renégate. Une fée malade qui a besoin de se nourrir du souffle des autres pour se maintenir en vie.

— Le manque va la tuer, affirme Errence d'une voix grave.

Il regarde autour de lui et ajoute :

— La fée-Nexus la rejette comme un parasite. Quelqu'un doit donner son souffle si on veut la sauver.

— Personne ne se sacrifiera pour elle, dit Lilas. Pas chez moi.

Elle se glisse devant l'établi, la mâchoire crispée :

— Frêne m'a prévenue à plusieurs reprises depuis hier. Elle représente un danger pour nous tous. On va la sortir d'ici. Lorgue, aide-moi.

La surprise se lit sur le visage du soldat :

— On ne la laisse pas mourir, dit-il.

— Elle est en train de tuer Saule, rétorque Lilas d'une voix hostile. Et de fragiliser l'aura de Frêne. Qu'elle meure, et vite.

— On ne la laisse pas mourir, répète Lorgue en s'interposant entre Lilas et l'adolescente.

— Tu es chez moi, dit-elle. Écarte-toi.

Le soldat refuse d'un petit signe de tête.

— On peut la sauver, dit Errence.

Lilas veut le pousser de côté mais le soldat résiste.

— Tu es chez moi, répète-t-elle en haussant la voix. Écarte-toi.

— Madame, si Errence dit qu'on peut la sauver… souffle Soline. Sortons vite, je vous en prie.

Lilas frappe Lorgue à l'entrejambe. Un coup vicieux, du bout du pied. Le soldat relâche l'adolescente, plié en deux par une douleur fulgurante. Errence fait volte-face pour s'interposer et reçoit un coup violent au menton. Le coude de Lilas a visé juste. Le sang perle à son visage tandis qu'il titube en arrière et agite les bras pour rétablir son équilibre.

Lilas rafle l'adolescente sur l'établi, la jette en travers de son épaule et s'apprête à quitter la cuisine. Une main ferme s'accroche au tissu de sa robe.

— Mère… attends.

Son fils est à genoux, les veines du cou tendu par l'effort.

— Mère, sa fée… Je me suis *axé* sur elle.

Jamais Lilas n'avait vu une telle supplique dans les yeux de son fils. Derrière lui, elle distingue Errence, le menton en sang.

— C'est ma fille, désormais, murmure Saule. Sauve-la.

— Elle va nous condamner, dit Lilas, le cœur à vif.

La tête de son fils dodeline et retombe mollement sur la poitrine. Les poings serrés, elle le voit lutter de toutes ses forces pour relever le menton et planter son regard dans le sien :

— Elle a sa place parmi nous. Ne la laisse pas mourir.

Un profond silence règne dans la cuisine du Sycomore.

Étendue sur l'établi, la jeune fille ne bouge plus. Entravée dans une couverture jusqu'à la taille, les bras maintenus le long du corps, elle fixe le plafond d'un œil lointain, la respiration courte et sifflante.

— Elle abandonne, dit Lorgue. Dépêche-toi.

Il se trémousse sur sa chaise, impatient d'en finir.

Debout dans l'axe de l'établi, Errence ne répond pas, le regard fixé sur l'auréole noire qui s'étend sur la poitrine de l'adolescente. Des filaments blanchâtres s'esquissent à la surface de la peau et progressent dans toutes les directions.

L'elfe respecte le courage du vieux soldat. En se portant volontaire pour partager son souffle avec l'adolescente, Lorgue prend le risque d'être contaminé à son tour. Errence s'étonne qu'un homme de sa trempe puisse ainsi s'en remettre à lui. Comme si, au fil des années, l'ancien soldat s'était forgé une opinion bien précise à son sujet sans jamais se dévoiler.

L'elfe plaque ses mains sur les joues de la jeune fille. Il a besoin d'un contact charnel pour devenir passeur entre son corps et celui de Lorgue.

Il se penche sur elle comme s'il voulait l'embrasser. L'adolescente exhale un parfum entêtant que sa sueur ne parvient pas tout à fait à masquer : une odeur de terre mouillée après la pluie.

Il se redresse et fait signe à Soline d'approcher le chandelier qu'elle porte à deux mains.

— Donne, dit-il.

L'elfe promène la lumière au-dessus du visage de la jeune fille. Il cherche les imperfections de la peau, les détails qui seront autant d'arêtes auxquelles se raccrocher lorsqu'il voyagera par le souffle à l'intérieur des corps. Ce grain de beauté sur la clavicule droite constitue un repère, tout comme ce duvet qu'on devine à peine au-dessus de la lèvre supérieure.

— T'as fini, bon sang ? chuchote Lorgue.

— Oui.

Errence rend le chandelier à Soline et ferme les yeux un bref instant pour visualiser le visage de Brune. L'exercice lui semble concluant.

Il pose la main sur le cœur de Lorgue. Le soldat sursaute. Errence cherche la fée du vieux soldat et établit sans mal un premier contact.

La fée est là, muselée par la peur que lui inspire la renégate et le sacrifice exigé par son propre maître.

Errence sait qu'il ne dispose pas d'assez de temps pour la préparer à l'épreuve.

Tu vivras, lui dit-il. *Tu es solide.*

La fée lui répond par une image brève aux teintes naïves. Il devine un marécage noyé dans la brume où un cerf blanc est enfoncé jusqu'au garrot.

Non. Je suis là, dit Errence.

Il cherche une idée pour reprendre l'image à son compte et improvise, en retour, une barque scintillante qui fend la brume en direction de l'animal. La tentative échoue : la fée se referme sur elle-même.

Il ne veut plus attendre. Sa main droite croche la poitrine du soldat avec une férocité brutale tandis que la main gauche, doigts tendus, oscille comme un oiseau de proie au-dessus du sein de Brune.

Le viol foudroie le vieux soldat. Le dos arqué et la mâchoire crispée, Lorgue sent le souffle de l'elfe vibrer à la surface de sa peau comme un roulement de tambour avant de s'engouffrer dans sa cage thoracique. Des tremblements frénétiques le saisissent aux jambes et aux bras. Il s'arc-boute aux accoudoirs de la chaise.

Errence impose sa propre vibration, une modulation précise et unique calquée sur la respiration de sa fée.

Une vibration souveraine qui se superpose à celle de sa victime et dépouille le soldat d'un rythme patiemment construit au fil des années.

Errence se souvient des paroles de son maître : « Chaque individu a son rythme. Une pulsation complice tissée entre lui, sa fée et les Lignes-Vie. Une mélodie à trois temps, unique et indissociable de son rapport au monde. Si tu veux soumettre une telle vibration, tu dois te substituer à elle. Prends garde, cependant. L'individu doit retrouver son rythme. S'il rompt le fil de sa propre mélodie, il risque de se désaxer à jamais. »

À travers sa main, Errence sent les soubresauts désespérés de la fée du vieux soldat. Il doit les canaliser et les dissoudre en vagues inoffensives sous peine de voir ses os rompre.

— Passeur, je ne suis qu'un passeur, articule-t-il à voix haute.

Son autre main se referme sur le sein gauche de l'adolescente.

Aussitôt, une série d'images lacère sa conscience. Toutes représentent Brune assise dans une geôle obscure, le dos en sang. À chaque nouvelle image, une pointe invisible s'enfonce dans le corps de la jeune fille et ouvre une rigole de sang qui dégringole entre ses cuisses et perle jusqu'au sol en gouttes épaisses.

Errence vacille.

Ses yeux se ferment pour convoquer en pensée le visage de la jeune fille et faire barrage aux images qui labourent le champ de sa conscience. Aussitôt, son souffle prend le relais et initie une boucle fermée entre le cœur de Lorgue, le sien et celui de Brune.

Tenir.

Tenir alors que la fée de Brune, avide, s'abreuve au souffle du soldat.

Errence aimerait faire taire ce bruit mouillé, ce lapement ignoble qui résonne dans son crâne.

Lorgue est au seuil de la rupture. Soumise par l'elfe, sa fée s'offre sans résistance au souffle avide de la

90

renégate. Le soldat sent que son énergie vitale s'étiole. Un siphon intangible relie les trois corps et nourrit le monstre libéré de ses entraves.

Soudain, une distorsion affecte la trajectoire des souffles.

Errence jure entre ses dents. Il a oublié Frêne et la fée-Nexus qui président à la destinée du Sycomore.

Une première bourrasque balaie la cuisine. Puis une seconde, plus puissante, accompagnée par un frémissement du sol.

Errence garde les yeux fermés, focalisé sur le portrait de Brune qu'il visualise comme un phare dans la nuit.

Le champ féerique s'ébroue au contact de la fée-Nexus. Soline perd l'équilibre et s'écroule contre un vaisselier dans un vacarme strident. Un cri muet fend la bouche de Lorgue.

Si Brune meurt, ton fils meurt ! hurle-t-il en pensée.

La fée-Nexus ne l'entend pas, tout entière à ses instincts qui lui commandent de stopper à tout prix cet acte contre nature qui se noue dans son aura.

L'elfe sent que la situation lui échappe.

7

« L'adoption conjugue trois souffles distincts. Au lien du sang, les parents adoptifs substituent le lien du souffle. Ce dernier est inaltérable et remet en question les principes fondateurs de notre éducation. Enchaînés par un serment vital, les parents et l'enfant adopté sont condamnés à une proximité fusionnelle que j'estime incompatible avec nos valeurs élémentaires. »

Rapporteur BROMEN,
Controverse des affections

Errence doit se concentrer pour empêcher sa main de trembler et porter le verre à ses lèvres. Bien qu'il n'ait jamais aimé l'alcool, il éprouve un besoin viscéral de noyer le goût de la renégate.

Ses phalanges ont blanchi à force de serrer le verre. Il surprend le regard de Lilas posé sur lui sans parvenir à le déchiffrer.

Il songe à la fin du rituel, à la confusion de son esprit à l'instant même où le souffle de la renégate, presque repue, abandonnait le corps de Lorgue pour revenir se loger dans le cœur de l'adolescente et lui offrir enfin le répit espéré.

L'elfe est épuisé. Sa fée est désormais inaccessible, plongée dans une phase de veille qui lui permet tout juste de maintenir ses fonctions vitales. Il devra faire sans elle et solliciter la fée-Nexus. Lui en veut-elle ? Il ne le pense pas. Elle a réagi par instinct, sans volonté de blesser.

Il devrait se reposer, mais il se refuse encore à monter à l'étage.

Il achève son verre d'un seul trait :

— Lorgue devrait être sur pied d'ici peu, dit-il. Ce garçon est un roc, mais je compte sur toi pour qu'il se ménage. Je ne peux pas me prononcer pour sa fée, en revanche. Elle est choquée. Possible qu'il ne puisse plus jamais la solliciter et qu'elle devienne un cœur vide.

— Il s'en remettra, lâche Lilas.

Elle a laissé Soline au chevet de Lorgue, dans une chambre du premier étage, et placé la jeune fille dans son propre lit.

Son fils dort toujours, la tête posée contre son épaule.

— Je peux le réveiller, tu crois ? demande-t-elle.

— Attends encore un peu.

— On doit lui parler. Je dois savoir qui elle est.

— Que crains-tu ?

— Plus rien, pour l'instant.

Errence s'est levé pour passer derrière le comptoir.

— L'avertissement de ta fée, dit-il. Je pense qu'il était d'ordre… maternel. En venant vers toi avec une renégate, Saule a dû produire un écho que ta fée a interprété comme un danger potentiel.

— Tu as sans doute raison.

— Ferme l'auberge ce soir. Ce serait plus prudent.

Elle hoche la tête, le regard lointain :

— Frêne a refusé d'aider son propre fils, n'est-ce pas ? demande-t-elle. S'il a tenté de t'arrêter, c'est qu'il était prêt à le sacrifier.

— Tu peux le voir comme ça.

— Je n'y crois pas. Il l'aimait trop. Tu sais… avec ce qui s'est passé ce soir, je me demande s'il existe vraiment à travers la fée-Nexus. Je veux dire, est-ce vraiment lui ? Parfois, il m'a semblé le reconnaître, mais… je ne suis plus très sûre.

— Tu es choquée, amour. Laisse-toi du temps pour comprendre.

— Tu travailles sur lui depuis des années. Tu ne peux pas répondre à une question aussi simple ? Est-ce qu'il existe encore, oui ou non ?

L'elfe soupire. Sa mâchoire inférieure le fait encore souffrir et lui laisse un souvenir cuisant.

— Tu m'as humilié, dit-il. Devant nos amis. J'attends toujours tes excuses.

— Est-ce qu'il existe, oui ou non ?

Errence se mordille les lèvres :

— Tu peux répondre à cette question toute seule, conclut-il.

Elle ne fait rien pour le retenir. Bien qu'Errence lui ait suggéré d'attendre, elle préfère réveiller son fils. Elle se dégage doucement en lui tenant la tête et se penche à son oreille :

— C'est l'heure, trésor… souffle-t-elle.

Elle le réveillait ainsi, des années auparavant. Elle s'agenouillait près du lit et passait sa main dans ses cheveux pour l'ébouriffer.

Saule ouvre les yeux.

— Comment te sens-tu ?

Il cherche ses mots, la bouche sèche :

— Brune… où est-elle ?

— Brune ? Elle est à l'abri, dans ma chambre. Elle s'en sortira, ne t'inquiète pas.

Elle lit un profond soulagement sur le visage de son fils. Il lui sourit :

— Père m'accepte, dit-il. Je le sens.

Saule est rassuré par la résonance qui opère dans son cœur. L'hostilité ressentie à son arrivée a disparu. La fée-Nexus accorde peu à peu à sa fée la place qu'elle occupait du temps où sa mère avait besoin d'eux. Il a préféré oublier cette époque. Il ne tient pas à revoir sa mère pleurer ni l'entendre murmurer des phrases sans fin à l'oreille d'une statue. Comme lui, son frère et sa sœur avaient fini par étouffer entre les murs du Sycomore et s'étaient presque enfuis à l'arrivée providentielle d'Errence.

— Tu es venu chez moi avec une renégate, dit Lilas. Je ne tiens pas à ce qu'elle reste.

— On ne te dérangera pas longtemps. J'étais venu chercher la protection de la fée-Nexus, pas la tienne. Quand elle aura repris assez de forces, je partirai.

— Tu es menacé ?

— Brune est ma fille, désormais.

— Que se passe-t-il ? Je ne t'ai pas vu depuis trois mois et tu reviens sans prévenir avec une humaine que tu me présentes comme ta fille ?

Elle marque une pause, la mine sévère :

— Parle-moi. Tu te sens menacé ?

Saule se redresse.

— Je suis traqué, soupire-t-il.

— Par qui ?

— La mère de Brune.

— Tu as enlevé cette fille ?

— Brune, dit-il. Elle s'appelle Brune.

— Peu importe. Tu as enlevé cette fille ?

Saule relève les yeux :

— Je l'ai enlevée, oui. À la Haute Fée.

Il ne tente pas d'esquiver la gifle qui le cueille à la joue gauche. Sa mère s'est levée et se dresse devant lui.

Elle le toise un moment en silence, les lèvres frémissantes, et finit par lâcher :

— Tu nous condamnes… Tu es venu avec la mort. Il faut rendre cette fille. Et parler avec la Haute Fée pour sauver ta tête.

— Tu ne feras rien de tout cela. Brune est ma fille, désormais.

— Je ne vais pas me sacrifier pour toi. Ni moi, ni personne, ni le Sycomore, ni aucun des clients qui se sont succédé ici depuis dix ans ! Je vais monter, prendre la fille avec moi et aller au palais. Tu vas m'accompagner. Mange quelque chose et prépare-toi.

— Elle ne sait pas que je suis ici. Ses Anonymes ont perdu ma trace. J'ai façonné un leurre qui tiendra jusqu'à l'aube. Et ils ne peuvent pas voir à travers une fée-Nexus. Dans quelques heures, je serai parti. D'ici là, laisse-nous tranquilles.

Elle le regarde comme s'il était devenu fou. Elle veut parler et se ravise, consciente qu'elle risque de le perdre.

Elle l'abandonne devant la cheminée et sort de l'auberge pour s'avancer sous la pluie, les nerfs à vif. Elle plie la nuque en arrière pour laisser l'eau ruisseler sur son visage et s'efforce de reprendre sa respiration. Elle doit se calmer et maîtriser cette rage qui l'étouffe. Elle se force à respirer lentement, les bras collés contre la poitrine. Ses cheveux trempés tombent en mèches lourdes sur ses épaules.

Elle se sent mieux.

Saule l'a rejointe sur le seuil du Sycomore, adossé contre le chambranle. Il tient à peine debout. C'est elle, finalement, qui se précipite à sa rencontre pour le soutenir et le reconduire à l'intérieur. Ils s'installent près du feu, l'un contre l'autre. Ils ont besoin de ce silence.

— J'ai peur pour toi, avoue Lilas du bout des lèvres. Excuse-moi.

Elle voit encore l'empreinte de ses doigts sur sa joue. Elle a négligé le souffle, elle s'en rend bien compte. Elle, capitaine de la haute garde, citée en exemple de tempérance… Elle ne sait plus mettre des mots sur ses émotions. En l'espace d'une heure, elle a frappé les trois hommes qui comptent le plus pour elle.

— Je t'aime, ajoute-t-elle. Tu peux rester ici autant qu'il faudra. Mais il faut que tu quittes Médiane.

— J'ai essayé les ports. Impossible de passer.

— Il y a une sirène ici. Je la connais, je peux la convaincre. Elle te prendra avec elle.

— Avec Brune.

— Avec elle, oui. Si c'est ce que tu veux.

— Je ne veux rien d'autre. C'est ma fille.

8

« L'amplification du son de la voix produit par les différents organes résonateurs nous invite à considérer l'importance des fosses nasales chez les sirènes au même titre que la bouche ou le pharynx. Dites-vous qu'un rhume pourrait, en théorie, provoquer la perte d'un chorus. »

MÈRE FAUSTÈLE,
Conseils à une jeune sirène

Brune est assise en tailleur, le dos enfoncé dans une pile de coussins. Les cheveux en désordre, elle dévore le pain et le fromage qu'Errence vient de lui apporter sur un plateau d'osier.

— C'est bon ? demande-t-il.

Elle opine, la bouche pleine.

— Tu te sens mieux ?

— Oui, bien mieux, dit-elle en découpant un nouveau morceau de fromage.

— Ne mange pas trop vite, tu vas t'étouffer.

— C'est au cas où il faudrait repartir. J'anticipe.

— Tu as quel âge ?

— Seize ans, je crois.

— Tu ne connais pas ton âge ?

— Ça ne m'intéresse pas.

— Tu sais ce qui arrive à ta fée ?

Elle hausse les épaules comme s'il la prenait pour une imbécile :

— Elle n'a pas assez de souffle pour me faire vivre. Elle prend celui des autres.

— Oui, bon… et tu en souffres ?

Elle le foudroie du regard :

— Tu crois que je ne sentais rien tout à l'heure ? Elle était là, dit-elle en montrant son front. Elle me mangeait

103

de l'intérieur. C'était la première fois que j'affrontais ça. Je serais morte si tu n'avais pas été là.

— Pas morte, seulement possédée.

— C'est pareil. C'est toi qui m'as donné du souffle ?

— Non. C'est Lorgue, un ami. Il se repose, actuellement.

Le visage de Brune se durcit :

— Il faudra que je le remercie.

— Il appréciera. Il lui a fallu beaucoup de courage pour te céder son souffle.

— Toi, je te remercie aussi. Si ton ami a survécu, c'est que tu as trouvé ton axe.

Elle découpe un morceau généreux et l'enfourne dans sa bouche avec des yeux pétillants.

— J'ai fais ce que j'ai pu, concède Errence.

Elle repousse le plateau avec une expression satisfaite :

— J'ai fini. C'était très bon. Laisse-moi voir Saule, maintenant. S'il te plaît.

— Il faut attendre. Il doit reprendre son souffle.

— Je voudrais être à côté de lui quand il se réveillera.

— J'y veillerai, ne t'inquiète pas.

Elle se laisse choir sur les coussins et l'observe de biais :

— Au fait, tu es qui, toi ?

— Je te l'ai dit.

— Tu es un elfe. C'est bizarre.

— Je vis avec Lilas, la mère de Saule.

Une ombre voile le visage de Brune :

— Elle me fait peur. Mais j'ai envie de la connaître.

— Elle est impulsive. Et elle aime beaucoup son fils. Tu comprendras avec le…

— J'ai très bien compris, l'interrompt-elle. C'est comme ma mère. Elle devient violente avec ceux qui me veulent du mal.

Elle regarde autour d'elle, les lèvres pincées.

— Tourne-toi, s'il te plaît, dit-elle.

Il s'exécute. Elle se lève, se drape dans une couverture et s'approche de la lucarne. Pendant un moment, elle observe la nuit et les gouttes de pluie qui dégoulinent sur le verre.

— Elle va venir me chercher, dit-elle. Je ne veux pas que Saule meure. Ni lui ni toi. Ni ton ami qui m'a donné du souffle.

— Lorgue.

— Personne ne doit mourir à cause de moi.

— Cela n'arrivera pas. Ici, tu es en sécurité. La fée-Nexus te protège.

Il croit la voir sourire dans un reflet de la lucarne. Elle se retourne :

— Explique-moi.

— Quoi donc ?

— Saule disait qu'il fallait marcher, sinon les chasseurs nous trouveraient. Et puis, ce matin, il a parlé de la fée-Nexus. Il disait que les chasseurs ne nous verraient pas si nous nous placions sous sa protection.

— C'est compliqué…

— Je comprends vite.

Errence soupire, troublé par le tempérament de l'humaine.

— Tu connais le principe de l'Ancrage ?

— Saule m'en a souvent parlé. Son père s'est ancré.

— Ici même. Quand il fait jour, tu peux le voir de là où tu te trouves.

— C'est une vraie statue, alors ?

— En pratique, oui. Son corps est en pierre, mais son esprit vit au travers de la fée-Nexus.

— On peut lui parler ?

— Non, pas tout à fait. Tout dépend de la place que lui a accordée sa fée quand elle a… déserté son cœur pour devenir une fée-Nexus. Je vais te dire… franchement, je ne connais toujours pas la réponse, alors que je suis là depuis presque cinq ans.

— Tu as vu la fée-Nexus ?

— Non. Elle, on ne la voit jamais. Elle imprègne les lieux, elle s'est… comment te dire… dispersée tout autour de la statue, elle s'est fondue dans la pierre, dans les plantes, peut-être même dans l'écume. Elle infuse l'espace autour de toi. Le Sycomore, en tout cas.

— Et pourquoi la fée-Nexus est-elle si puissante ?

— En naissant, elle a aussi créé une nouvelle Ligne-Vie. Elle a rejoint l'axe de Médiane. Elle s'est renforcée au contact des Hautes Fées et de toutes les autres fées-Nexus qui leur sont affiliées. C'est pour cela qu'elle est puissante.

— Ça, c'est compliqué, dit Brune avec un sourire.

— Pas tant que ça. Tu as déjà senti la Ligne de Médiane ?

— Une fois. J'ai eu l'impression que l'air…

— Vibrait ?

— Qu'il me rendait plus légère.

— Avant, tu sais, on vivait sans fées.

— Je n'y crois pas.

— Ah bon ?

— Non. Mes professeurs prétendent qu'il y avait un organe à la place. Comme l'estomac ou le foie. C'est ridicule.

— Bref. Après l'âge du Sacrifice, les fées se sont logées dans nos cœurs et ont constitué les Lignes-Vie. C'est pour cette raison que, plus tu es proche de la source, plus ta fée est en résonance avec le monde.

— Oui, plus vivante. J'ai senti ça. Après, j'ai eu mes règles et c'était… différent.

— La Ligne-Vie se défend, c'est instinctif, Brune. Quand tu deviens une… femme, elle te considère comme une ennemie potentielle, quelqu'un capable d'accoucher d'une autre renégate. En fait, à ses yeux, tu es une pestiférée.

Errence se mord les lèvres :

— Excuse-moi, je ne voulais pas dire cela.

— Ce n'est pas grave.

Il voit bien, pourtant, qu'il l'a blessée.

— Tu crois que je pourrai me marier un jour ? demande-t-elle soudain.

L'elfe hausse les épaules.

— Si je peux avoir des enfants, je peux me marier, insiste-t-elle.

— Certes, mais…

— Mais je veux me marier.

— Écoute, on parlera de cela une autre fois.

— Laisse-moi voir Saule… s'il te plaît.

— Non. Plus tard.

— Saule dit que les elfes peuvent voir les fées-Nexus. Toi, tu n'en es pas capable ?

— Je pourrais. Mais il faudrait faire certaines choses… et je n'y tiens pas.

— Tu as peur ?

— Non.

— Moi, j'ai peur.

L'elfe voit ses épaules nues frissonner.

— Tu ne crains rien ici, je t'en donne ma parole.

— Je ne te connais pas, dit-elle en se retournant. Et tu ne connais pas ma mère. Ta parole ne vaut rien. Il n'y a que Saule qui tienne ses promesses.

Gêné par le regard acéré de l'adolescente, Errence lève les mains en signe d'apaisement. Brune passe les doigts dans ses cheveux.

— Tu crois que je pourrais me laver ?

— Oui, bien sûr. Je te fais monter de l'eau chaude, si tu veux.

— S'il te plaît.

— Tu as besoin d'autre chose ?

— Juste que tu ne t'éloignes pas trop.

Errence a confié Brune aux mains de Soline et s'est posté à la porte de la chambre.

La bassine de cuivre trône dans une petite pièce attenante au sol dallé et aux murs blancs peints à la chaux.

L'adolescente s'est plongée avec un petit cri de ravissement dans l'eau bouillante.

— Tu es une vraie pouilleuse, lui dit gentiment Soline en saisissant une brosse de crin. Il va falloir te récurer de la tête aux pieds.

Lilas a laissé son fils dans la petite chambre qu'il occupait avec son frère au rez-de-chaussée, près des cuisines. Saule s'est endormi presque aussitôt. Cette fois, elle est bien décidée à le laisser dormir, consciente que la résonance est à pied d'œuvre pour soulager sa fée.

Elle rejoint Soline aux cuisines. Bien souvent, avant le dîner, les deux femmes partagent une collation pour tenir le service du soir.

Sur l'établi trône un jambon de sanglier que la vieille dame découpe avec soin, ainsi qu'une bouteille de vin rouge importée des coteaux suspendus de l'Alfedha.

Elles trinquent.

— Qui est dans l'auberge, à part nous ? demande Lilas.

— Personne. Diène est sortie. Elle voulait nager autour du Sycomore.

— Tu sais où est Errence ?

— Auprès de la jeune fille.

— Elle s'appelle Brune. C'est une fille de la Haute Fée.

Soline s'essuie les mains sur un torchon et fixe son regard sur Lilas.

— Pauvre enfant.

Lilas songe à ces jeunes garçons et filles qui peuplaient les appartements de la Haute Fée. Des enfants dotés d'une fée exceptionnelle que la reine de Médiane aimait avoir près d'elle pour apaiser la sienne.

– La Haute Fée l'a adoptée, dit Lilas. Alors que c'est une renégate. Je ne comprends pas.

Soline hoche le menton d'un air entendu.

— Il va nous arriver malheur, madame, n'est-ce pas ?

— Saule est naïf. Il a laissé du souffle derrière lui pour tromper les Anonymes. Ils ne se laisseront pas berner longtemps. Si j'étais à la place de la Haute Fée, j'aurais déjà envoyé quelqu'un ici. Histoire de m'assurer que Saule ne rôde pas du côté de sa mère. On peut s'attendre à avoir de la visite.

— On va nous attaquer ?

— Non, je ne pense pas. La Haute Fée veut sa fille vivante, elle ne prendra aucun risque. Elle cherchera d'abord à la localiser. Ensuite, elle négociera.

— Qu'est-ce qu'on va faire, madame ?

— Je vais sortir. Pour voir Diène.

— La sirène ?

— Elle peut nous emmener.

— Nous ?

— Il faut partir. Saule s'est axé avec Brune. Si je perds Brune, je perds mon fils.

— Madame, on ne peut pas se battre contre une Haute Fée.

— Saule vient de nous prouver le contraire.

Lilas ne s'attarde pas. Elle doit parler à la sirène et la convaincre de conduire la famille à bord de son bâtiment.

Elle attrape sa pelisse, un vieux manteau de cuir brun aux manches élimées et au col mou, et visse sur sa tête un chapeau gris à larges bords.

Soudain, des coups sourds ébranlent la porte du Sycomore.

Soline passe la tête par la porte des cuisines :

— J'ai bien prévenu, madame, qu'on était fermés, dit-elle avec une expression soucieuse.

Lilas attrape sa hachette et lance :

— Qui va là ?

Un silence, puis une voix forte et grave :

— C'est moi… Jhorn.

Jhorn, un capitaine d'une milice des Bas-Côtés qu'elle connaît bien pour l'avoir eu sous ses ordres, au palais, pendant quatre ans.

D'une main impérieuse, elle fait signe à Soline de rester aux cuisines et va ouvrir.

Jhorn n'est pas venu seul. Six miliciens l'accompagnent, alignés en deux rangées égales juste derrière lui.

Elle note avec une pointe d'appréhension qu'ils portent tous l'uniforme au complet, un uniforme qu'elle a elle-même inspiré pour moderniser les garnisons des Bas-Côtés : pantalon et veste de cuir renforcés, bottes lourdes, casque de bronze et cape de fourrure. Au ceinturon, le petit bouclier rond et une épée longue glissée au fourreau.

Lilas hausse un sourcil et arbore un sourire contrit :

— Ça me fait plaisir de te voir, mais tu tombes mal. On est fermés ce soir. Je dois préparer un grand banquet pour demain. C'est pas le travail qui manque.

— Oui, je vois ça, marmonne-t-il en balayant la pièce vide du regard.

Jhorn a changé. Son visage s'est arrondi et sa barbe, jadis soyeuse et impeccablement taillée, ressemble à une broussaille semée de poils blancs et jaunie par le tabac. Elle le trouve vieilli et se souvient d'une rumeur datant de l'année dernière. Une affaire vite étouffée qui

111

a forcé le capitaine à franchir discrètement l'enceinte prestigieuse du palais pour finir dans une garnison des Bas-Côtés.

Jhorn s'agite, mal à l'aise.

— Écoute, je ne viens pas pour dîner. J'ai des ordres.

Lilas sent qu'elle ne pourra pas le chasser sans lui avoir ouvert sa porte.

— Allez, entrez donc vous mettre au sec, toi et tes hommes, dit-elle. On discutera près du feu.

Jhorn esquisse un sourire gêné et fait signe aux miliciens de le suivre à l'intérieur.

La troupe se rassemble près du feu tandis que Jhorn attire Lilas à l'écart.

— Si tu ne viens pas pour goûter à la cuisine de Soline, tu viens pour quoi ?

— J'ai des ordres, tu vois. Il s'agit de ton fils.

— Va aux faits. J'ai du travail.

Du coin de l'œil, elle surveille les miliciens regroupés autour de la cheminée, les mains tendues devant les flammes.

— Je cherche Saule. Tu l'as vu récemment ? demande Jhorn.

— Saule ? Pas depuis deux mois, au bas mot.

Jhorn se caresse la barbe avec une grimace :

— Il a fait une bêtise, Lilas. Une grosse bêtise.

— Quoi ? Encore une dispute dans une taverne ? Et tu viens avec ta troupe pour me dire ça ?

— C'est plus sérieux. Beaucoup plus.

— Je dois m'inquiéter ?

112

— Écoute, ce n'est encore qu'un avis de recherche. Peut-être bien qu'il y a un malentendu… En fait, il aurait enlevé une fille.

Lilas fronce les sourcils et finit par éclater de rire. Les miliciens se retournent, avant de se laisser distraire par l'arrivée de Soline :

— Une petite liqueur pour réchauffer nos braves miliciens, murmure la vieille dame en se glissant parmi eux avec un plateau.

Jhorn agrippe Lilas par le bras pour l'entraîner à l'écart :

— Ne ris pas, dit-il à voix basse. C'est foutrement sérieux. C'est une fille de la Haute Fée.

— Ne sois pas ridicule.

— Je n'ai pas le choix. Je dois fouiller ton auberge.

Lilas croise les bras :

— Ne rêve pas, mon gars. Tu es chez moi et je te dis que Saule n'est pas ici. Retourne voir tes supérieurs et arrange-toi pour éclaircir l'affaire.

— Lilas, c'est la Haute Fée. Rends-moi la tâche facile. Je jette juste un coup d'œil et on s'en va.

— Non.

Le visage du capitaine se crispe :

— Ne me prends pas de haut, d'accord ? Je viens sur ordre du palais.

— Je ne te prends pas de haut, Jhorn, dit-elle d'une voix radoucie. Saule n'est pas là. Cela doit te suffire.

Soline a disparu. Autour du feu, les miliciens se détendent et chuchotent en dégustant l'alcool du bout des lèvres.

— Je sais bien… mais ça bouge pas mal du côté du palais, je t'assure.

— Tu ne me fais plus confiance ? dit-elle en l'entraînant vers le comptoir. Tu arrives sans prévenir et tu accuses mon fils en présence de Frêne. J'ai été patiente jusqu'ici. Repars avec tes gars avant que je m'énerve pour de bon.

À l'évocation de Frêne, le capitaine s'est signé : deux traits courts tracés avec le pouce qui convergent au menton. Une manière de conjurer le sort en dessinant les lignes de fuite.

— On m'a dit pour ton mari. J'ai voulu venir… je ne l'ai pas fait.

— Tu aurais dû, dit-elle sèchement. N'en parlons plus, c'est du passé, fait-elle en se glissant derrière le comptoir.

Elle remplit un verre et le dépose devant lui :

— Bois-le vite. Et quitte mon auberge. J'ai déjà perdu assez de temps.

Jhorn avale son verre d'un coup sec et s'essuie la bouche du revers de la manche.

— C'est bon, dit-il. Je m'en vais. Je dirai que j'ai regardé.

Elle acquiesce d'un mouvement de tête quasi imperceptible.

— Assez traîné ! lance le capitaine à l'attention de ses hommes. On y va.

Les miliciens maugréent et ressortent un à un de l'auberge.

— Merci pour le verre, Lilas, dit Jhorn lorsque le dernier milicien a franchi le seuil du Sycomore.

Fais-moi une faveur. Si ton fils vient, préviens-moi.
Vaut mieux pour lui qu'il s'explique, crois-moi.

— Je te crois.

Jhorn n'a pas écouté la réponse, les yeux écarquillés
et fixés en direction de l'escalier qui mène à l'étage.

9

« Moi, je prétends que les zéphirs sont des soupirs passionnés, des courants d'air nés du désir. Oubliez les halètements, les cris et les gémissements. Pensez aux espaces comblés par deux corps qui se lient, à leurs frictions alanguies ou sauvages. L'air amoureusement comprimé doit bien exister quelque part ! »

SÉRÉNENCE, *Les Forges du désir*

Le silence.

Les doigts crispés sur la garde de son épée, le capitaine de la milice dévisage la jeune fille apparue dans l'escalier.

Brune se tient immobile sur la dernière marche, les mains nouées et le teint livide.

— C'est elle, bon sang. C'est elle… marmonne Jhorn en songeant au portrait qui figurait sur le médaillon présenté par l'Anonyme.

Il hoquette au moment où la lame d'une hachette se pose sur son cou :

— Ne dis rien. Calme-toi, ordonne Lilas en le forçant à relever le menton.

Le milicien déglutit et éloigne sa main du pommeau de son épée.

— Regarde-moi bien, Jhorn, dit Lilas. Je ne veux pas que tu meures. Pas plus que tes hommes. Le sang ne coulera pas ce soir.

La voix d'un milicien s'élève à l'extérieur de l'auberge :

— Capitaine ?

Lilas relâche légèrement la pression sur le cou de Jhorn :

— Tu es venu, dit-elle, tu as jeté un coup d'œil et tu n'as vu personne. C'est notre accord, tu le respectes et tu vis.

Le capitaine sait d'expérience que Lilas peut tuer un homme de sang-froid. Il cherche ses mots, la gorge sèche :

— On a un accord… ça me va. Abaisse ton arme, maintenant, fait-il en posant ses mains en évidence sur le comptoir.

Lilas entend Brune se porter à leur hauteur. La main tiède de l'adolescente se pose sur son bras.

— C'est fini, madame, dit-elle.

Lilas accentue sa pression sur la pomme d'Adam du capitaine.

— C'est trop tard, rétorque-t-elle. Remonte. Je m'occupe du reste.

— J'en ai assez, souffle Brune. Elle me retrouvera toujours. Et je ne veux pas que vous mouriez. Ni toi, ni ton fils.

Les doigts de Brune appuient fermement sur le bras armé de Lilas :

— Laisse-le, ajoute-t-elle. Je pars avec lui.

Lilas cherche la vérité dans les yeux de l'adolescente. Elle y voit une résolution désespérée.

Jhorn, le front luisant, grimace :

— Écoute-la. Fais pas de bêtises.

— Tu te tais, rétorque Lilas en le forçant à pencher la tête en arrière.

Jhorn lève les mains en signe de capitulation.

— Comme tu veux, souffle-t-il. Mais ça peut s'arrêter là.

Brune fait mine de traverser la salle principale pour rejoindre les soldats à l'extérieur.

— Arrête ! ordonne Lilas.

Elle cherche une issue raisonnable. Elle sait déjà que sa vie a basculé à l'instant même où elle a menacé un capitaine de la milice, fût-il des Bas-Côtés. Elle peut encore libérer Jhorn et espérer la clémence, pour elle et les siens, à la mesure des liens étroits qu'elle a tissés au palais. Le seul souvenir de son fils à genoux dissout la honteuse perspective. Elle veut lui faire honneur, c'est ainsi qu'une famille se conçoit.

Brune a tourné le visage dans sa direction. Des larmes silencieuses roulent sur ses joues. Ses lèvres murmurent un « pardon ».

Le coup prend le capitaine par surprise. Lilas a frappé avec le manche de son arme, à hauteur de la tempe. La tête de Jhorn part brusquement en arrière, son corps vacille et s'effondre au milieu des tabourets qui longent le comptoir.

Lilas se précipite vers l'adolescente et la soulève d'un bras puissant. Brune tente sans succès de se débattre, tandis que Lilas, d'une main libre, ferme la porte à double tour et traverse la salle du nord au sud pour faire claquer un à un les six volets intérieurs de la façade principale.

Dehors, une voix inquiète domine le vacarme de la pluie :

— Capitaine ? Tout va bien ?

Quelqu'un essaye de tourner le loquet. Lilas sait que la porte, en chêne massif, tiendra suffisamment long-temps. Assez, en tout cas, pour grimper à l'étage.

Brune, impuissante, a cessé toute résistance.

— C'est bien, calme-toi, murmure Lilas. Tu restes ici, tu es de la famille si Saule en a décidé ainsi.

Elle cherche l'approbation dans les yeux de Brune et la dépose sur le sol.

L'adolescente ne dit rien, les traits creusés par l'angoisse.

— Tu sais te battre ? demande Lilas.

Les deux femmes ont atteint le palier.

— Donne-moi une épée. Je me débrouillerai, affirme Brune d'une voix qui tremble.

— Tu es courageuse.

Lilas utilise sa manche pour essuyer les deux sillons humides qui marquent les joues de l'adolescente.

— Tu vas attacher le capitaine. Tu vas savoir faire ?

— Je crois, oui.

— Serre bien. Ensuite, tu t'enfermes avec Saule et tu veilles sur lui.

Lilas tente de calmer l'hystérie qui couve dans sa voix. Elle a entendu un panneau de corne se déchirer derrière un volet.

Elle abandonne Brune et grimpe à l'étage pour rejoindre sa chambre. Soline est assise au chevet d'Errence.

— Madame ?

— Vous avez laissé Brune descendre, dit Lilas. Les miliciens sont là.

La vieille femme n'a pas besoin d'en savoir plus. Au rez-de-chaussée, les volets tremblent. Lilas s'agenouille devant le coffre qui trône au bout du lit, tandis que Soline réveille Errence à son tour.

Le désarroi se reflète sur le visage de l'elfe.

— Amour, dit Lilas, ils sont une demi-douzaine. Ils ne vont pas tarder à entrer. Ferme tous les volets à l'arrière et sors par les cuisines. Tu les contournes et tu fais en sorte qu'aucun d'entre eux ne rejoigne Médiane.

Errence a instinctivement porté la main à ses tempes.

— Brune ? demande-t-il.

— Elle est en bas. Avec Saule. Soline, tu restes avec Lorgue. Mets-le-moi sur pied. Par n'importe quel moyen.

Lilas ouvre le coffre et retient sa respiration. Elle n'a pas touché à son contenu depuis qu'elle a quitté le palais et cédé sa place à la tête de la haute garde.

Semblable au premier jour, l'armure zéphirine repose dans son écrin de velours noir.

Lilas attrape délicatement le collier qui constitue l'amorce de l'armure. La poussière n'a pas eu de prise sur les six chaînettes en argent et leur fermail en losange.

Lilas s'efforce de maîtriser son souffle. Elle redoute que l'armure ne la reconnaisse plus. Elle écarte ses cheveux et noue le collier autour de son cou. La chaleur qui émane de l'armure endormie l'émeut. Le souffle invisible qui couve dans cette pièce unique lui rappelle combien les elfes excellent dans l'art zéphirin.

Elle se souvient de la course effrénée des jeunes mages lancés dans les ruelles pentues qui mènent à la citadelle royale, de la manière dont ils rabattent les bourrasques enchantées piégées au début de l'automne par la Ligne-Vie. De leurs cris silencieux qui claquent comme des fouets sur l'échine des courants affolés.

L'orfèvrerie, la magie et la forge ont accouché d'une perfection, d'une entité pensée à sa taille et à sa conscience.

Ses doigts tremblent lorsqu'elle referme la dernière agrafe sur sa nuque. Un mince frisson anime les chaînettes et témoigne de l'éveil du Zéphir. Une conscience s'ébroue dans son crâne. Lilas s'assoit en tailleur, ferme les yeux et guide le déploiement de l'esprit.

En quelques instants, l'aura zéphirine forme un rempart mouvant et éthéré autour d'elle. Elle seule peut sentir le vent magique onduler le long de ses membres. Par endroits, une petite étincelle couleur d'argent jaillit là où les courants d'air se télescopent avant de poursuivre leur route autour de son corps.

Elle se redresse, fait un premier pas, troublée par ces sensations qu'elle croyait à jamais reléguées au fond d'un coffre et se hausse sur la pointe des pieds pour s'emparer des deux haches entrecroisées derrière elle, sur le mur.

Elle expire avec respect au contact des gardes ciselées par le soupir d'une Haute Fée. Le souvenir est intact. La consécration des deux armes avait eu lieu en présence de la haute garde : quatre-vingt-dix soldats alignés derrière elle, dans un silence parfait. Elle, un genou à terre et les mains jointes sur le sol.

Elle garde un souvenir précis du frôlement des pieds de la reine sur sa paume, du bruit cristallin de ses ailes brassant l'air à la hauteur de son visage, du chant du souffle s'échappant de ses lèvres arrondies pour plier le métal à sa volonté et lui donner la forme voulue dans une caresse organique et fluide. Pendant près de deux heures, ce métal avait fléchi, s'était creusé et structuré pour accoucher des deux haches symbiotiques.

Lilas les soupèse et constate que rien n'a changé. Les armes font corps avec ses mains. À sa gauche, elle sent les vibrations d'une arme légère et instinctive conçue pour surprendre et mettre à profit le chaos d'un combat. À sa droite, la fidélité d'une hache plus lourde, pensée pour anticiper les assauts de l'ennemi. Elle les a baptisées dans l'intimité : Plume pour la première, Enclume pour la seconde.

Aucune des deux ne porte la moindre fioriture, afin que vibre tout entière la pureté d'un métal habité.

Les six miliciens se sont regroupés en demi-cercle, le bouclier levé devant la poitrine. Ils tiennent la porte principale.

Lilas respire et balaye la salle d'un regard. Elle doit mettre à profit les tables et les chaises qui la séparent de ses adversaires pour tirer avantage d'un terrain familier. Dos au comptoir, elle fixe les miliciens. Elle se méfie : ceux-là viennent des Bas-Côtés où les autorités médianes recrutent toujours au début de l'hiver parmi les déshérités. Pour certains, la perspective de manger chaud et de dormir sous un toit suffit largement à compenser le port de l'uniforme et les vagues notions de discipline qu'on tente de leur inculquer. Ils ont connu les combats les plus désespérés, ceux qu'on livre, le ventre vide, sur les passerelles branlantes qui longent les flancs de la cité. Elle connaît leur ardeur, leur sens de l'équilibre et leurs improvisations. Elle sait que l'uniforme ne les gêne pas et qu'ils savent aussi bien se servir de l'épée que de leurs poings.

Le plus jeune d'entre eux, un garçon au visage émacié, s'avance pour la défier. Ses petits yeux noirs et vicieux la toisent :

— T'as l'habit, dit-il en pointant son épée sur les chaînettes qui frémissent autour de son cou. On va voir si t'as les couilles qui vont avec.

Lilas se laisse surprendre par la première attaque. L'homme n'a pas cherché à gagner du temps. Il s'est rué vers elle. Elle a cru à une frappe d'estoc et n'a pas remarqué le petit mouvement de poignet imprimé à l'épée. Au dernier moment, elle voit l'arme se rabattre en pointe et viser son cœur.

La décennie passée a assoupi ses réflexes, elle le comprend à l'instant même où l'acier s'enfonce avec un bruit sourd dans la membrane invisible de l'armure. Le temps d'un soupir, elle a perçu la course folle des courants zéphirins qui ont convergé à la hauteur de son sein pour s'interposer et la sauver d'une mort certaine.

Elle recule d'un pas, les doigts crispés sur la garde de ses deux haches. Elle a la sensation que le combat chasse la poussière sur ses os, que ses muscles et ses nerfs en sommeil s'ébrouent pour retrouver les réflexes qui firent sa réputation.

Cette première passe d'armes a mis le milicien en confiance. Le bouclier baissé, il s'élance une nouvelle fois à l'assaut. Enclume s'interpose dans une gerbe d'étincelles. Lilas pivote légèrement et vise l'adversaire aux jambes. Plume heurte le bouclier du milicien.

Deux soldats ont repoussé les tables pour s'approcher sur ses flancs. Trois autres se dressent en retrait, devant la porte de l'auberge. Elle recule jusqu'à ce que son dos bute contre le comptoir. Le sang bouillonne dans ses veines. Elle aime cette peur farouche qui la fait renaître.

Un murmure s'échappe de ses lèvres. À l'aide du souffle, elle commande au Zéphir de concentrer ses forces sur son flanc droit et bondit sur son adversaire de gauche.

Elle fonde son attaque sur Plume. Le milicien n'a anticipé qu'une seule trajectoire et porté son bouclier à la rencontre d'Enclume. À la périphérie de son œil droit, il voit la naine profiter de son élan pour le contourner. Une vibration extatique se répercute dans le manche de Plume. Le métal a chuinté comme un soufflet au contact du cuir avant de s'enfoncer dans les entrailles du milicien. Lilas retire l'arme d'un coup sec et perçoit le contact ténu d'une épée échouée dans les courants du Zéphir.

Sa victime s'effondre sur les genoux, les mains crispées sur sa blessure. Le sang inonde ses cuisses. L'homme émet un râle plaintif et roule en boule contre le comptoir.

La vue du sang revigore Lilas. Elle concentre le Zéphir sur le haut du corps et charge ses deux nouveaux adversaires de front. Tables et chaises qui encombrent la salle principale lui fournissent un précieux avantage. Les trois miliciens postés près de la porte sont encore trop loin pour venir prêter main-forte à leurs compagnons.

Son adversaire le plus proche ne bronche pas lorsqu'elle s'élance vers lui. Campé solidement sur ses jambes, le bras armé et le poing fermé sur l'anse de son bouclier, il se sent prêt à la recevoir. L'autre s'est écarté, le regard vissé au blessé qui agonise contre le comptoir.

Les haches levées, Lilas bondit entre les deux miliciens. Plume dévie une épée, Enclume en écarte une autre. Portée par son élan, elle utilise son genou comme un bélier et cueille le milicien dans l'aine. L'homme sursaute avec un petit cri étouffé et titube en arrière, plié en deux par la douleur. Lilas n'a pas pu éviter le bouclier de son compagnon qui la percute dans le dos. Absorbé par le Zéphir, l'impact se transforme en une simple accolade.

Lilas utilise son avant-bras pour mettre à profit la brèche ouverte par le dernier milicien. Avant qu'il n'ait l'occasion de rabattre son bouclier, elle le frappe d'un coup sec au menton et utilise la confusion de son adversaire pour armer ses deux haches dans un large mouvement circulaire.

Un cri meurt sur les lèvres du milicien à l'instant où Enclume et Plume se rabattent à pleine vitesse vers son cou, telles des mâchoires d'acier. Il a encore la bouche ouverte lorsque sa tête se décolle du tronc dans une gerbe de sang vermeil.

Lilas a perçu l'échange entre les deux lames au moment où elles se sont croisées dans la chair de sa victime : un souffle ténu, comme un murmure échangé par deux âmes sœurs.

Les trois miliciens qui venaient en renfort se sont immobilisés à la vue du corps décapité qui gît désormais au travers d'une table. La tête, elle, a roulé jusqu'au bas de l'escalier.

Le sang a éclaboussé la robe de Lilas et dessiné de petites auréoles foncées. Du plat de la main, elle écarte une boucle qui tombe devant ses yeux.

— Je ne voulais pas que le sang coule, dit-elle.

Les yeux exorbités, le milicien ployé sur son aine blessée respire bruyamment et la désigne d'un doigt rageur :

— Allez ! Tuez-moi cette garce ! hurle-t-il.

Lilas conçoit le combat comme un engagement total. L'impatience qui régit sa vie transparaît dans la façon dont elle mène la guerre. Elle n'a jamais su attendre l'ennemi. Défier la mort fait battre son cœur plus vite. À cet instant précis, elle veut rattraper le temps perdu.

Elle fond en premier sur le milicien blessé. L'homme affiche un rictus sauvage et recule sous la puissance de la charge. Lilas assène ses coups tel un bûcheron. Les deux armes plongent à tour de rôle et finissent par fendre le bouclier en deux.

Un bras disloqué par l'impact, l'homme cherche du secours auprès des siens, mais les trois miliciens ont déjà capitulé. Sa condamnation est sans appel. Il défie Lilas une dernière fois d'un petit mouvement du menton :

— Je m'appelle Madko. Je suis fils des Bas-Côtés, dit-il en abandonnant son bouclier.

Lilas s'exécute avec une expression impassible. Dans sa main gauche, Plume est devenue une extension de sa volonté portée par les champs féeriques.

Elle a soumis l'air qui l'entoure, cet air imprégné de la fée-Nexus et du souvenir de Frêne. La hache écarte sans difficulté l'épée qui s'interpose et s'enfonce rageuse-ment dans l'aine du milicien.

Des images heurtent brutalement sa conscience : Frêne qui lui intime d'arrêter le massacre lors d'une tentative d'assassinat au palais ; Saule qu'elle frappe d'un revers de main alors qu'il n'a pas sept ans parce qu'une fois encore, il a voulu se réfugier dans son lit au milieu de la nuit.

La violence l'ensorcelle. La violence agit comme un catalyseur.

Le milicien se tord à ses pieds. Elle l'achève en lui tranchant la gorge et marche résolument vers les trois survivants. Ces derniers se précipitent vers la porte d'entrée et se bousculent pour sortir. Une bourrasque s'engouffre dans l'auberge. Dehors, les trois miliciens courent sur l'étroite chaussée qui relie l'établissement aux contreforts de Médiane.

Errence est tapi en équilibre instable parmi les rochers qui flanquent la chaussée, à une centaine de mètres du Sycomore, aux frontières incertaines de l'aura de Frêne. Les nerfs à vif, il ne sent ni le froid ni la pluie. À ses pieds, l'écume bouillonne entre les rochers.

La course éperdue des fuyards se noie dans le fracas des vagues. L'elfe prend une profonde inspiration au moment où ils sortent. Désormais, le moindre souffle qui franchit ses lèvres se calque sur la foulée des mili-ciens. Il cherche un mimétisme pour devenir l'ombre de leurs souffles.

Il est soudain parmi eux. En eux. L'émotion des mili-ciens lui lacère la conscience comme une griffe mentale et lui arrache une plainte. Il s'arc-boute sur l'arête d'un rocher et maintient tant bien que mal son souffle dans le sillage de ses victimes.

L'acte en lui-même lui répugne. En se coulant dans le souffle d'un autre, il s'expose au choc empathique, à un maelström émotionnel qui risque de le submerger.

Du coin de l'œil, il devine la silhouette de Lilas qui s'engage sous la pluie.

Les miliciens sont à sa hauteur. Pris de nausée, il hurle sous le vent pour libérer son souffle et faucher les trois hommes.

Le premier adopte soudain une trajectoire erratique. Le souffle coupé, entraîné par la vitesse, il agite les bras pour rétablir son équilibre et finit par s'écrouler dans une gerbe d'eau. Ses deux compagnons succombent presque au même moment et tournoient un bref instant sous la pluie avant de s'effondrer.

Errence sent la bile couler aux commissures de ses lèvres. Il ne peut pas aller plus loin. Depuis qu'il est en âge de se fragmenter et de quitter son corps pour naviguer dans les Lignes-Vie, il perçoit le souffle comme un hymne à la vie.

Il s'affaisse contre son rocher, le corps tordu par les crampes, et vomit sa bile. Vingt mètres plus loin, dans un brouillard cramoisi, il voit Lilas achever son œuvre.

10

« Les Hautes Fées, elles nous baisent, mon pote. Tous les jours, elles se dandinent dans leurs palais et nous rongent le crâne. Ligne-Vie mon cul ! Chaîne-vie plutôt ! On est des prisonniers, des moucherons collés sur leurs toiles d'araignée. Un jour, faudra bien qu'on coupe. Oui, mon pote, faudra couper et tisser nos propres vies. »

ANONYME

Imprégnée par l'odeur du sang, Lilas a lâché ses armes et avance à pas lourds sur la chaussée. La pluie fouette son visage. Elle cligne des yeux et titube jusqu'à Errence qui est apparu entre deux rochers.

Livide, c'est lui pourtant qui fait le premier geste et la prend dans ses bras pour la serrer de toutes ses forces. Un temps, elle garde la joue contre sa poitrine pour sentir les pulsations apaisantes de sa fée.

— C'est fini, dit-il dans ses cheveux. C'est fini…

Elle se dégage et observe un bref instant les lumières pâles de Médiane. Derrière le rideau de pluie, la cité scintille dans la nuit comme une nuée de lucioles.

— Je dois lui parler, dit-elle à voix basse. Sans attendre.

— Ton fils ?

— La Haute Fée.

Errence la prend par la main et commence à marcher en direction du Sycomore.

— Je t'interdis d'y aller, dit-il en regardant droit devant lui.

Lilas se fige et le retient par la main.

— C'est toi qui vas m'y conduire.

Errence grimace et se retourne. Il sait déjà ce qu'elle réclame : ouvrir un dialogue à travers les Lignes-Vie,

135

prendre contact avec la Haute Fée comme il a l'a fait avec les enfants de Lilas.

— Je suis épuisé… proteste-t-il faiblement.

— Moi aussi, rétorque Lilas. Contacte-la.

— Il faut partir.

— Pas encore. Je peux lui expliquer.

— Elle ne t'écoutera pas. Les Anonymes sont lâchés.

— Je l'ai protégée pendant près de quinze ans. Elle m'écoutera.

Errence hoche la tête, le regard perdu vers l'auberge. Lilas lui agrippe l'épaule.

— Tu es avec moi ? demande-t-elle d'une voix ferme.

— Toujours.

— Alors fais ce que je te dis. Contacte-la.

— Il me faut ton souffle. Seul, je n'y arriverai pas.

Errence croit voir un sourire effleurer les lèvres de la naine.

— Approche, murmure-t-il.

Il l'enlace de nouveau et glisse lentement le bras sous sa nuque. Elle laisse aller sa tête dans le creux de son bras puis lève les yeux vers lui.

— Fais ton œuvre, bourreau, dit-elle du bout des lèvres.

Trempés jusqu'aux os, transis par les bourrasques qui grondent dans l'axe de la grève, l'elfe et la naine font corps dans la nuit.

Les lèvres fines d'Errence s'entrouvrent et se posent une première fois sur son front. Elle tressaille, tendue à son souffle. Il ferme les yeux. Ses lèvres reviennent à la charge et effleurent les siennes. Une corne de brume mugit au loin.

Leurs lèvres s'ouvrent. Lilas sent la langue de l'elfe se glisser entre ses dents et se coller à la sienne. Elle aime la vigueur de son baiser et intime à sa fée de céder le souffle à l'envahisseur.

Un souffle tiède et docile se faufile dans sa gorge et se mêle à leurs salives.

Lilas se braque. Son corps, soudain, ressemble à une carcasse grossière, un organisme lourd et encombrant, alors que sa conscience, légère, s'élève dans les airs et s'élance vers Médiane.

La sensation d'être un oiseau qui avance à une vitesse prodigieuse, mais par à-coups. Portée par le souffle, sa conscience marque de brusques accélérations alternées avec des moments suspendus. Les champs féeriques acceptent le passage des deux souffles entremêlés. Le désir qui les lie agit comme un sésame.

Un bref instant, ils se propulsent à la verticale entre les masures qui recouvrent les falaises comme des coquillages. Le temps d'un soupir et les voilà à l'horizontale, serpentant dans les rues d'un quartier cossu.

Médiane se livre en images fugitives. Les champs féeriques brouillent la réalité et transforment la cité en scènes dilatées comme des toiles encore fraîches barbouillées par la main d'un enfant. Lilas ne distingue bientôt plus que des taches claires dans la nuit. Ici et là, un visage inconnu surgit et se déforme avant d'être aspiré dans l'obscurité.

Devant le Sycomore, leurs corps s'enchaînent.

Lilas ralentit son compagnon. Elle ne peut pas avoir le même détachement que lui. Son propre corps, voué à l'Ancrage, agit comme un aimant et lutte instinctivement pour rappeler la conscience qui le contrôle. Errence le sait et s'emploie à noyer cet instinct dans la sensualité. Sa langue a pris l'initiative et entraîne celle de Lilas dans une danse lente et humide. Malgré la magie qui imprègne cet instant, son sexe se durcit. Une étincelle embrase les yeux de Lilas. Sa main s'immisce et empoigne le sexe de l'elfe à travers le tissu.

Là-bas, leurs consciences marquent un temps d'arrêt, freinées brutalement par un désir trop intense. L'elfe doit tenir un point d'équilibre entre un baiser qui les porte dans les champs féeriques et un autre, trop ardent, qui pourrait briser l'enchantement.

Ses lèvres se descellent le temps de mordiller une lèvre de Lilas jusqu'au sang. Elle veut se dégager, mais le bras glissé derrière sa nuque ne faiblit pas. Ses lèvres se referment presque aussitôt et relancent, au loin, la course de leurs consciences.

Errence s'engouffre dans le sillage de la Ligne-Vie, un tunnel luminescent qui émerge du palais comme le faisceau d'un phare. L'axe palpite avec une telle intensité que la fée de Lilas émet un long soupir de jouissance.

Le souffle antique qui anime la Ligne-Vie les enrobe et les commande sans qu'il soit possible d'intervenir. Errence se livre sans manifester le moindre signe de résistance. Derrière les murs ocre du palais, des Anonymes s'éveillent. Leurs consciences se précipitent à la rencontre des intrus et les immobilisent en formant autour d'eux un tourbillon infranchissable. Lilas a la sensation de se trouver dans l'œil d'un cyclone. Sa respiration se ralentit, son souffle se soumet à ceux des Anonymes et se dépouille afin de ne rien cacher.

Satisfaites, les créatures consentent à les laisser passer.

Le palais de la Haute Fée s'ouvre.

Errence et Lilas se déplacent à l'intérieur comme un courant d'air et pénètrent dans les immenses galeries supérieures qui abritent les appartements de la Haute Fée.

Des salles titanesques se succèdent. Des espaces vierges et clos, sans fenêtre ni lucarne. Condamnées à la lumière artificielle depuis leur création, ces cathédrales aseptisées dessinent les volumes d'une prison où seuls les enfants adoptés par la Haute Fée ont le droit d'évoluer. Sur les dalles blanches qui s'étendent à perte de vue, des jouets esseulés : des poupées colorées, des jonchets taillés en forme de fleurs, des masques d'animaux, tous veillés par de petites fées couleur d'or qui volettent au-dessus en gardiennes attentives.

Lilas n'a jamais oublié l'écho de ses propres pas lorsqu'elle venait à la rencontre de la Haute Fée. Un bruit sourd que les voûtes répercutaient à l'infini et qui lui renvoyait avec une acuité troublante la solitude abyssale des enfants enfermés ici.

La Haute Fée est assise sur le sol, entourée par vingt-deux enfants, et leur raconte une histoire à voix basse, le visage dépourvu d'émotion. Les enfants ont entre sept et seize ans. Toujours le même nombre, les mêmes âges et la même répartition entre filles et garçons. Lilas n'a jamais su pourquoi, mais lorsqu'un enfant finit par lasser, la Haute Fée en choisit toujours un autre à l'identique.

Décharnée, les seins tout juste esquissés, la Haute Fée mesure près de trois mètres. Son corps semble vouloir disparaître tant la peau est tendue sur les os. Lilas est persuadée qu'un jour elle rompra ou s'effilochera. Certains prétendent que les Hautes Fées muent comme des serpents. D'autres que la peau n'est qu'une simple membrane jetée sur le squelette comme un manteau. Lilas, elle, n'y voit que l'œuvre d'un souffle primordial qui se nourrit de la chair et aspire l'organisme de l'intérieur.

Ses ailes sont déployées au-dessus des enfants. Deux membranes lourdes et scintillantes agitées de légers tressaillements qui contiennent le murmure s'échappant de ses lèvres.

Les enfants ne réagissent pas à la présence de Lilas et Errence. Enchaînés par le souffle, ils ressemblent à des pantins reliés à la Haute Fée par des liens invisibles.

La Haute Fée, elle, poursuit son histoire tandis qu'une partie de son esprit se détache pour venir à la rencontre des deux visiteurs.

— Brune est à moi, dit-elle sans préambule.

— Je sais. Il a commis une terrible erreur. Il est jeune, il a…

— Je veux que Brune revienne, l'interrompt la Haute Fée.

Une brise glacée souffle dans les champs féeriques. Des enfants frissonnent.

— C'est trop tard, dit Lilas.

— Se pourrait-il que tu ne sois pas venue implorer mon pardon ? Aurais-tu considéré qu'il existe une *alternative* ? Je veux Brune. Je la veux avant que le soleil se lève. Et j'accepte d'attendre aussi longtemps parce que tu as été fidèle. À l'aube, je veux que tu te présentes avec Brune.

— Vous êtes en colère. Je le comprends. Il vous a offensée, mais il a réagi avec… ses émotions. Il n'a pas voulu vous blesser, il a seulement voulu sauver cette fille. À compter du moment où mon esprit quittera le palais et retrouvera mon corps, je consacrerai chaque soupir qu'il me reste à vous trouver une enfant comme Brune. Où qu'elle soit.

— Brune est à moi. Je veux qu'elle revienne.

— Mais elle est axée sur Saule. Elle ne vous appartient plus.

Les ailes de la Haute Fée se figent et les enfants, pour la première fois, manifestent un signe de vie. Les garçons s'agitent. Une petite fille renifle et se blottit contre l'épaule d'une plus grande.

— Je veux que ton fils meure pour que son souffle libère ma fille.

— Non.

Là-bas, sous la pluie, le charme est rompu. Errence a peur. Sa langue darde sans charme et cherche celle de Lilas avec un appétit mécanique. Son excitation est oubliée, ses gestes sont empruntés. *Il meurt de trouille*, pense Lilas. Et cette idée, loin de la paniquer, la conforte dans ses intentions.

— Non, répète-t-elle. Ni Brune ni Saule ne mour-ront. Je vais trouver une autre fille et son souffle vous comblera.

— Je veux que tu te taises. Je veux que tu ailles cher-cher Brune et que tu la ramènes.

— Vous ne m'écoutez pas. C'est impossible. Je vais partir, je vais mettre ma famille à l'abri. Et en échange, je chercherai la fille qui vous conviendra.

Des enfants se lèvent et se dirigent à pas lents vers leurs jouets. En réponse, les fées d'or s'éparpillent sous la voûte en créant des traînées luminescentes.

Lilas s'impatiente. Le baiser d'Errence perd en inten-sité et altère ses perceptions. Leurs deux esprits ne pour-ront pas se maintenir très longtemps si loin de leurs corps. Les enfants commencent à se fondre dans l'obscurité, les contours de la salle à tanguer.

— Brune est malade, dit Lilas. Son souffle est perverti. Je vais vous trouver une autre fille.

— Elle est dangereuse. Pour moi et pour les Lignes-Vie. C'est un poison. Elle doit vivre auprès de moi.

— Quinze ans, murmure Lilas. Je vous ai servie pendant quinze ans. Je vous demande de considérer ma fidélité et celle de Frêne. Nous nous sommes consacrés à vous, nous vous avons protégée lorsque les Tousseux se sont infiltrés dans vos murs, nous avons déjoué des complots, nous avons veillé sur vos enfants. Nous vous avons dévoué nos vies. À présent, je vous demande seulement d'épargner celle de mon fils et celle de Brune. Elle est malade, bon sang ! Je vais la conduire loin d'ici, vous ne sentirez plus jamais son souffle.

La Haute Fée n'a gardé qu'un seul enfant auprès d'elle, une fillette au sourire las, engoncée dans une robe de soie grenat.

Elle tend vers elle une main décharnée et l'attire contre sa jambe. Le regard vide, la fillette se met à hoqueter.

— Lilas, ton esprit va rester ici. Celui de l'elfe aussi. Je vous garde avec moi le temps que mes chiens débusquent ton fils. Il n'osera pas sacrifier sa propre mère.

— Je suis venue en confiance… Vous ne pouvez pas faire ça.

— Je veux que tu écoutes : ton fils va mourir. Ton fils *doit* mourir et Brune me reviendra.

— Je vous interdis de menacer ma famille. Si vous touchez à mon fils, je vais revenir et je vais vous tuer.

La fillette perd brutalement connaissance et s'effondre dans un froissement d'étoffe au pied de la Haute Fée.

— En fait, articule la Haute Fée, je veux que tu disparaisses. Je n'ai plus besoin de toi. Tu es *inutile*.

Dans le palais, la sentence appelle les Anonymes au festin.

Lilas hurle.

Un cri de guerre qui provoque un reflux brutal dans les courants féeriques et un regard intrigué de la Haute Fée.

Amour, sors-nous d'ici.

Errence ne peut pas relâcher son baiser sous peine de condamner leurs deux esprits à devenir des fantômes errant dans les champs féeriques.

Ils vont nous massacrer, répond-il en pensée.

Tu en es capable, articule Lilas. *Fais-nous sortir. À n'importe quel prix.*

Une houle invisible agite les champs féeriques.

Les esprits des Anonymes convergent dans leur direction, silhouettes cristallisées dans le faisceau de la Ligne-Vie.

Errence n'a pas le choix. Pour échapper à la meute, il doit fondre sa conscience et celle de Lilas dans le cœur du faisceau, ce trait blanc d'une pureté absolue, qui relie le cœur de la Haute Fée à toutes les autres qui, comme elle, ont fondé une cité. Errence sait que les créatures ne se nourrissent pas seulement du souffle, mais de l'âme tout entière, et en particulier des souvenirs qui l'ont construite.

Son esprit s'entortille autour de la conscience de Lilas avant qu'il ne plonge, telle une étrave, dans les profondeurs de la Ligne-Vie.

Je vais nous fragmenter, murmure-t-il. *Prépare-toi.*

Leurs deux consciences prennent de la vitesse et accélèrent pour faciliter la fragmentation. Souvenirs et pensées se disloquent un à un et deviennent d'infimes particules portées par le courant de la Ligne-Vie.

Loin du palais, sous la pluie, le corps de Lilas se cambre. Un hurlement meurt dans sa gorge. Sa conscience se déchire et s'éparpille. Elle ne peut empêcher des souvenirs trop fragiles de se fondre dans le faisceau de la Ligne-Vie et disparaître à jamais, incapables de préserver une cohérence dans cet axe en fusion.

Les Anonymes se sont lancés à leur poursuite. La fragmentation entreprise par Errence les galvanise.

Certains se laissent enivrer par des éclats de conscience et abandonnent la poursuite pour les dévorer. D'autres, en revanche, veulent à tout prix empêcher les fuyards de mener le rituel à son terme et s'efforcent de rattraper Errence avant qu'il ne puisse entamer la reconstitution.

Un premier Anonyme harponne ce qui reste de sa conscience alors qu'ils franchissent les murs du palais. L'elfe doit se résoudre à abandonner les souvenirs de son enfance pour se dégager. L'Anonyme ne peut résister à un tel appât et abandonne la poursuite pour s'en repaître.

Lilas, elle, ne ressent presque plus rien. Elle ignore si la mort a ce goût-là, un vertige de l'oubli qui ressemble à un soulagement. Ballottés par les courants féeriques, les débris de sa conscience ne restituent que des images syncopées et éblouissantes qui saturent sa rétine. Ses paupières clignent furieusement comme si elle était la proie d'un cauchemar.

Amour, je n'y arrive plus...

Errence n'entend pas ces quelques mots jetés dans les courants comme une bouteille à la mer. Malgré la torture mentale infligée par la fragmentation, il veut honorer l'amour de Lilas. Les morsures des Anonymes n'ont plus de prise sur lui. Au prix d'un terrible effort de volonté, il jette dans le vide un soupir qui s'étire et tisse un filet au cœur du courant. Les rets capturent une à une les bribes de conscience à la dérive qui portent la signature de Lilas, puis les expulsent hors du courant sur une trajectoire parfaite.

L'esprit de Lilas réintègre brutalement son propre corps qui s'effondre sur le sol. Un temps, elle croit avoir perdu l'usage de ses membres. La pluie ruisselle sur son visage tétanisé. Elle distingue la silhouette familière et rassurante du Sycomore. Lentement, les sensations reviennent. Elle bouge une main, puis le bras, et parvient à pencher la tête sur le côté. Errence gît auprès d'elle, la respiration courte et rocailleuse.

Lilas se hisse sur les coudes et tente d'établir le contact avec sa propre fée. Rien, pas même un signe. Elle rampe jusqu'à l'elfe et le prend dans ses bras. Son visage a pris une teinte jaunâtre.

Tes yeux sont vides, pense-t-elle. Creux et vides. Est-ce qu'ils ont tué l'homme que j'aime ? J'ai eu tort, excuse-moi. Sans ma fée, je suis impuissante. Excuse-moi.

Elle crie une première fois sous la pluie. Pour soulager la tension dans ses épaules et reprendre le dessus. Un cri, encore, pour s'encourager, se redresser malgré ses jambes flageolantes, et se pencher pour saisir l'elfe dans ses bras.

Elle le transporte à l'abri, le ventre noué par une rage sourde, et le dépose dans un fauteuil. L'odeur du sang flotte dans la salle principale du Sycomore. Elle balance un coup de pied rageur dans le visage d'un milicien et traverse la pièce la mâchoire crispée. Le sang bouillonne à ses tempes. Elle a chaud et sent la sueur perler dans son dos. Lorgue surgit brusquement devant elle.

— Plus tard, grince-t-elle en l'écartant d'un geste sec. Ne reste pas planté là, occupe-toi d'Errence.

Elle s'engouffre dans le couloir qui mène à la chambre de Diène et y pénètre sans prendre la peine de frapper.

Taillée dans la roche, la chambre forme un vaste octogone baigné par la lumière des chandeliers posés à même le sol. Un bassin rectangulaire barre la pièce du nord au sud et communique avec la mer. Un léger clapotis agite la surface de l'eau. L'humidité qui règne dans la pièce est à peine tolérable. Lilas inspire une longue goulée d'air et balaie la chambre du regard. Sur une commode patinée, la sirène a déposé ses armes, deux poignards effilés glissés dans leurs fourreaux d'écaille qui voisinent avec une cithare en bois sombre. Une robe gris cendre est posée sur un mannequin aux couleurs délavées. Sur un pupitre trônent un livre ouvert et un plumier. D'autres livres gisent en piles précaires à même le sol.

Lilas doit faire un effort pour se souvenir des motifs invoqués par la sirène pour s'installer au Sycomore. Elle avait parlé d'un voyage d'études et de peintures.

Diène est là, allongée sur un lit à baldaquin placé dans le prolongement du bassin. Elle s'est hissée sur les coudes, le visage impassible.

Échevelée, le teint cramoisi, Lilas s'avance vers elle en essayant sans succès de défaire la fibule de sa cape.

— Laisse-moi faire, murmure Diène au moment où elle s'immobilise devant elle.

La sirène lui oppose une sérénité troublante. Son geste est lent, presque affecté. La fibule cède. Lilas se débarrasse de la cape, pressée de respirer à son aise. Elle aimerait se déshabiller et plonger dans le bassin. La confrontation avec la Haute Fée encrasse ses pensées et son corps.

Elle dévisage Diène un moment. Ses cheveux noirs forment un rideau d'onyx autour d'un visage laiteux moucheté de taches de rousseur. De longs cils mettent en valeur la clarté de ses yeux noisette. Pour habit, elle ne porte qu'une chemise de soie blanche qui la couvre jusqu'au bassin. Au-delà, la queue aux écailles émeraude et bleues bat faiblement le rythme comme un éventail.

Lilas s'assoit au bord du lit, prise de vertiges :

— J'ai besoin de ton aide, dit-elle dans un souffle.

— Calme-toi. Je ne peux même pas sentir ta fée, fait-elle en posant la main entre ses seins.

Lilas ébauche un rictus et s'efforce de maîtriser son souffle. Les doigts de la sirène pianotent sur le tissu de sa robe. La naine se laisse engourdir par ce rythme silencieux qui presse contre son sein. Une brise glacée monte dans sa gorge et explose dans sa bouche comme une gorgée d'eau fraîche.

— J'ai besoin de ton navire, dit-elle. Nous serons six passagers.

— Que se passe-t-il ?

— La Haute Fée veut mon fils.

Une ombre voile le visage de la sirène.

— Des plis, dit-elle. J'ai senti des plis se former dans la Ligne-Vie.

— Je suis pressée. Nous devons partir.

— Tu me demandes d'aller contre la volonté d'une Haute Fée. Pourquoi prendrais-je ce risque ?

— Vous êtes les seules à pouvoir vivre au-delà des Lignes-Vie. Vous aimez cette liberté, vous avez combattu pour elle.

La sirène balaie l'argument d'un sourire suffisant.

— Soyons sérieuses. Qu'as-tu à offrir ?

— Que veux-tu ?

— Je représente mon chorus, ce n'est pas moi qui décide, élude la sirène.

Sa queue bascule vers le sol et se dresse en spirale. Diène glisse dans un frottement d'écailles jusqu'à la commode.

— Où veux-tu aller ? demande-t-elle en attachant les poignards autour de sa taille.

— L'Axile.

Lilas est persuadée que son choix est le bon : se fondre dans la population hétéroclite de l'Axile, se cacher parmi les milliers d'échoppes et de comptoirs s'échelonnant sur les branches des cinq arbres titanesques qui composent la cité. Celle-ci est une étape incontournable pour tous les voyageurs qui s'aventurent sur les mers du Nord. Fondée par les nains, elle est soumise à l'autorité des Proues qui ont présidé à sa naissance et règnent désormais sur le bois comme des enfants capricieux.

— Au moins cinq jours de voyage si le souffle nous est favorable, dit Diène.

Un frémissement agite les écailles de la sirène. Elle glisse une mèche noire derrière l'oreille et s'accoude à la commode, le visage légèrement penché.

— Tu ne sais rien de moi. Pourquoi me faire confiance ?

— Je n'ai pas le choix. Et le temps presse. Ton prix ?

149

Lilas s'impatiente. Elle se lève et vient se planter devant Diène.

— Ton prix ? répète-t-elle.

Lilas ressent un besoin viscéral d'agir. Sa main se crispe.

— Tu es trop nerveuse, murmure la sirène.

— Je n'ai pas envie de jouer. Ma requête est simple.

— Je vais en parler au chorus.

Diène empoigne son instrument et pince quelques cordes. Les notes s'égrènent avec limpidité. La sirène accompagne la cithare d'une voix tout juste perceptible, un murmure modulé dans le registre des graves. Ses longs cheveux noirs glissent sur son visage comme la visière d'un heaume.

Lilas sent une vague tiède dans sa poitrine, une onde de plaisir émise par sa fée. Le souffle qui filtre entre les lèvres fines de la sirène puise aux sources de la magie, à la pureté du son et des premiers mots ânonnés par leurs ancêtres.

La conversation qui lie la sirène au chorus s'accomplit dans les rythmes conjugués du chant et de la cithare.

Lilas se laisse emporter et peine à émerger de sa transe lorsque Diène abandonne son instrument et se tourne vers elle.

— Le chorus vous attend.

11

« La géode est-elle un navire au sens où nous l'entendons ? Dans la mesure où elle flotte au-dessus de l'eau, certains prétendent que non. Ceux-là n'ont pourtant jamais vu une géode s'aventurer sur la terre ferme. La raison en est simple : les propriétés acoustiques de l'eau donnent aux souffles des sirènes l'ampleur nécessaire pour mouvoir le bâtiment. Pour moi, une géode est un bateau. »

Capitaine PALE PADONE,
Traité géodésique

Lilas observe en silence le Sycomore disparaître dans l'obscurité tandis que la barque progresse en direction du bâtiment. Son fils Saule se tient à la proue, les bras refermés autour de Brune qui s'est assise sur ses genoux.

Près de la sirène aux yeux clos qui anime la barque à la force du souffle se tiennent Soline et Lorgue. Errence n'a jamais repris connaissance et gît en travers de l'embarcation, la tête calée sur un sac de toile.

La pluie a cessé. Médiane s'éloigne et se détache dans la nuit comme le panache d'une étoile filante. Lilas songe à Frêne et à tout ce qu'elle abandonne derrière elle. Le défi lancé à la Haute Fée joue dans son crâne une mesure entêtante. Elle offre aux siens l'existence des parias, une vie suspendue aux chasseurs qui vont se lancer à leur poursuite. Pour l'heure, elle doit réunir la famille. Cèdre, son autre fils, et Iris, sa fille.

Elle respecte le courage de Saule, mais elle n'approuve pas son choix. En axant son souffle sur la renégate, il s'est condamné. Sa fée va s'étioler pour soutenir l'appétit vorace du mal qui dévore la jeune fille de l'intérieur. Il existe mille et une rumeurs sur la façon d'y remédier, mais aucune ne permet de sauver les deux souffles axés. Il faudra nécessairement en sacrifier un, et Lilas tient à ce que ce soit celui de Brune.

Lorsque ce sera fait, lorsqu'elle aura l'intime conviction que la Haute Fée ne peut les atteindre, elle reviendra.

Et elle tuera celle qui a osé menacer les siens.

Le navire des sirènes surgit dans la nuit. Lilas n'a jamais posé le pied à l'intérieur d'une telle structure et éprouve une vague appréhension à l'idée de lui confier leur destin.

Le bâtiment est une immense géode en suspension qui flotte à cinq mètres au-dessus des vagues. De larges bandes métalliques la découpent en huit segments égaux recouverts de bois blanc. Des hublots aux verres colorés sont semés sur le pourtour, à mi-hauteur. Au sommet s'élève une tour de bronze d'une dizaine de mètres.

Lilas distingue sans mal la gangue du souffle enrobant la géode, une puissante masse d'air qui déforme la surface de la mer et maintient le bâtiment en suspension.

Une écoutille s'ouvre sur un côté au moment où la barque pénètre dans l'aura du bâtiment. Lilas ressent distinctement un poids sur sa poitrine lorsque son corps pénètre dans la gangue qui enrobe le navire.

Une passerelle étroite se déploie depuis l'écoutille et vient effleurer la crête des vagues. D'une expiration, la sirène qui les escorte conduit la barque dans l'axe de la rampe et les invite à monter.

Lilas pénètre la première dans le navire.

Une coursive étroite prolonge l'écoutille. Lilas s'immobilise, frappée par le son clair qui monte des entrailles du bâtiment. Le duvet de ses avant-bras se hérisse. De la mélopée émane une harmonie subtile.

Lilas sent son corps réagir de l'intérieur. Les voix mêlées des sirènes font vibrer les veines qui relient sa fée à ses organes.

Ses compagnons éprouvent la même sensation. Massés dans la coursive, ils hésitent à poursuivre comme s'ils craignaient de troubler la sérénité des lieux.

Diène referme l'écoutille et les précède avec une lanterne capuchonnée. Lilas lui emboîte le pas, étourdie par les dimensions du bâtiment. Des coursives inclinées s'entrelacent et s'incurvent dans un désordre labyrinthique.

Un monde clos. Une chambre de résonance, pense Lilas.

Le cœur du bâtiment apparaît brutalement derrière une porte en bronze.

Une salle ronde, une voûte blanche peinte à la chaux et un large bassin de mosaïque en camaïeu de bleus. Lilas dépasse Diène pour s'engager sur la promenade de pierres brunes qui circule autour du bassin. Une sirène immergée jusqu'à la taille, les coudes posés sur le rebord, observe la naine s'approcher et s'agenouiller devant elle.

— Tu commandes ce navire ? l'interpelle Lilas.

La sirène se hisse hors de l'eau et expose sans complaisance un corps vieillissant. Ses seins sont affaissés et ridés, son ventre distendu plisse au-dessus d'écailles aux extrémités grisées et aux couleurs estompées.

Elle plisse les yeux et essore la pointe de ses longs cheveux blancs.

— Je suis Scadre, la polyphone de ce navire.

— Nous devons partir.

— Je sais, dit-elle.

— Mais tu prends ton temps alors que mon ami a besoin d'aide, fait-elle en montrant Errence que Lorgue porte sans mal à bout de bras.

Scadre se redresse sur sa queue et pointe le doigt en direction de Brune.

— Tu viens avec un poison. Le chorus souffre.

— Mon fils est axé sur elle. Tu n'as rien à craindre.

— Sauf s'il meurt. Diène va s'occuper des tiens. Toi, reste avec moi.

— Tu dois appareiller.

— Nous sommes déjà en route, mais tu ne le sens pas. Apaise-toi.

Lilas consent à s'asseoir.

— Nous serons à l'Axile dans six jours. D'ici là, toi et les tiens devrez vous soumettre au chorus.

— Peut-être.

— Tu es arrogante. Je ne comprends pas.

— Je n'aime pas vos manières. Et je ne sais pas si je peux vous faire confiance.

— Si tu es ici, c'est que tu as déjà pris une décision. J'accepte de braver l'autorité de Médiane et de conduire ta famille et tes amis en lieu sûr.

— J'ai besoin d'un prix.

— Pas moi. Pas encore.

Lilas émet un claquement de langue irrité.

— Ce n'est pas une façon de faire.

— C'est la mienne, en tout cas.

— Elle ne me plaît pas.

— Tu l'as déjà dit.

Lilas se frotte les yeux. Elle aimerait s'allonger et dormir.

— Ton nom résonne dans les champs féeriques, dit Scadre en se glissant dans l'eau. Diène ne m'a pas tout dit.

— Tu es sûre que nous sommes partis ? demande Lilas en embrassant la salle du regard.

— Nous filons en direction du nord-est.

— D'accord, soupire Lilas.

— Tu es en sécurité. Parle-moi.

— La fille. Elle appartenait à la Haute Fée. Mon fils l'a enlevée.

— Pourquoi ?

Lilas lève les yeux vers les reflets bleutés qui dansent sur la voûte.

— Je ne sais pas. Il a toujours été comme ça. Vouloir protéger les faibles.

— C'est un défaut ?

— Oui.

— Parce que tu étais commandeuse de la haute garde ? Je connais ta réputation.

— Écoute, je n'ai pas très envie de parler de mon fils. Ni des raisons qui ont pu le pousser à s'axer sur cette fille.

— Pourtant, c'est le cœur du problème.

Lilas ne répond pas et plonge les mains dans l'eau pour s'asperger le visage.

— Qu'est-ce que tu veux savoir, au fond ?

— Brune est une renégate. Un poison, une abomination. Elle nous tend un miroir de la Rupture. Je veux savoir pourquoi la Haute Fée tenait tant à la garder près d'elle.

— Je vais parler avec Saule. Lui seul pourra nous le dire.

— Toi, qu'est-ce que tu en penses ?

— Brune a peut-être vu ou entendu des choses qui auraient dû rester dans l'ombre. À moins qu'elle ne soit le fruit d'une expérience interdite. La moralité des Hautes Fées échappe à notre entendement, crois-moi.

— Ce sont elles qui dirigent le monde, pourtant.

— Vraiment ? Tu n'es pas soumise aux Lignes-Vie.

— Mon chorus est une infime particule à la surface du monde. Pour autant, je sais entrevoir les amorces. Nous croisions depuis un long moment au large de Médiane. Nous avons perçu des échos. Un brouhaha inédit, comme si la trame des champs féeriques subissait une torsion inhabituelle.

— Qu'est-ce que tu essaies de me dire ?

— Que nous n'avons pas encore une vue d'ensemble. J'ai décidé de vous prendre à bord dans l'espoir de déceler une mélodie, parce que chaque événement est une note, chaque événement possède un son qui lui est propre.

— Des foutaises, grommelle Lilas. Personne ne décide pour moi.

— Ce n'est pas ce que j'ai dit.

— Je suis épuisée et je veux voir Errence.

— Diène prétend que vous couchez ensemble.

— Cela ne te regarde pas.

Lilas n'aime pas le vague sourire qui effleure les lèvres de la sirène. Elle se lève.

— Le chorus examinera l'elfe si tu le désires, lance Scadre.

Lilas secoue la tête. Malgré les bienfaits du chant qui résonne dans le navire, elle éprouve un sentiment oppressant, la sensation d'être prise au piège.

La polyphone l'escorte en silence jusqu'aux cabines mises à leur disposition. Lilas retrouve les siens dans une seule et même pièce, un dortoir vaste et meublé avec soin.

— Ça ne tangue même pas, l'interpelle Soline d'une voix joyeuse. Je regrette ma cuisine, mais je ne regrette pas le voyage, madame !

Lorgue, mains jointes sous la nuque, est allongé sur un lit. Pieds nus, ses longues jambes croisées, il écoute avec intérêt le chant des sirènes. Des chandeliers distillent une lumière chaleureuse. Lilas se dirige vers Errence couché sur un lit. Figé tel un gisant, les bras allongés le long du corps, il respire calmement.

Brune occupe le lit voisin, assoupie et le corps replié en position fœtale. Saule s'est assis par terre, à son chevet.

— Ça va ? demande Lilas en se glissant à ses côtés.

— Elle dort.

— Je parlais de toi.

— Ne t'inquiète pas pour moi (il dépose un baiser furtif sur sa joue). Je te promets, je me sens bien, je me sens… libéré.

— Tu vas mourir.

— Oui, soupire-t-il.

Lilas se mordille la lèvre, les narines dilatées. Elle regrette de lui parler ainsi. Il a besoin d'elle, de sa force. Elle grimace, l'embrasse sur le front et va se glisser contre Errence.

Elle a tout juste le temps de fermer les yeux lorsque Diène fait irruption dans la pièce.

— La polyphone veut vous voir.

Lilas hausse un sourcil interrogateur.

— Trois navires, poursuit la sirène. Des nécrovents. Ils seront bientôt sur nous.

12

« La Méridienne existe, frère. Tu la croiseras le jour de ta mort. Belle à en crever, vêtue d'une robe aux couleurs de l'aube, tissée de latitudes et de longitudes. Tu lui offriras ton dernier soupir et elle l'enfilera, comme tous les autres, à ce collier qu'elle porte comme une traîne d'écume. Ouvre l'œil, frère : la Méridienne existe. »

ANONYME

Lilas observe ses poursuivants à travers un verre coloré, un bleu pâle qui déforme l'horizon et les silhouettes effilées des navires.

Lorgue se tient à ses côtés, silencieux.

— Ils nous ont pris en chasse, dit-elle.

— Le *Recouvrance* mène la danse, grommelle Lorgue.

Lilas acquiesce en silence. Le navire appartient à la Haute Fée. Un bâtiment lourd, à trois mâts, conçu pour naviguer en haute mer. Ses deux escorteurs, plus légers, naviguent sur les flancs et calent leur vitesse sur celle du *Recouvrance*. Lilas grimace. La houle qui creuse les vagues ne signifie rien. Le souffle qui gonfle les larges voiles rectangulaires du bâtiment appartient aux âmes damnées. Elle connaît ceux qui les commandent : les nécrovents ont choisi de devenir des figures de proue et se sont ancrés en beaupré. Leur présence prouve une fois encore que les moyens engagés par le palais sont dispro-portionnés. Une fille comme Brune ne mérite pas qu'on lâche les fauves.

Elle pose la main au-dessus des seins. Sa fée s'agite. Malgré la distance, l'haleine viciée des nécrovents effleure l'aura de la géode et provoque de légères vibra-tions dans les champs féeriques.

Elle se souvient d'une confession de Frêne alors que les premiers symptômes de l'Ancrage se manifestaient.

Ils sont nus, allongés dans leur lit. Un drap blanc chiffonné gît sur le plancher. Les corps humides, l'odeur du sexe. Elle a le visage calé sur son ventre, comme dans un moule. Elle entend les gargouillis de son estomac et joue, du bout des doigts, avec les poils de son pubis.

— J'ai vu un nécrovent, dit-il.

— Mauvaise idée… marmonne-t-elle d'une voix distraite.

— Je suis tenté.

— Tenté ?

— De les écouter. De leur confier mon Ancrage.

Elle tapote sèchement son membre et lui arrache un cri rauque.

— Ne dis pas de sottises.

— Je suis sérieux.

Lilas soupire et glisse sur le côté, les yeux levés au plafond.

— Hors de question, dit-elle. Moi vivante, tu ne fais rien avec eux.

— Voyager, voir le monde, les âmes perdues… Je peux devenir berger.

Elle se cale sur un coude et croche sa barbe avec délicatesse pour rapprocher leurs deux visages :

— Je déteste quand tu fais ça.

— Quand je fais quoi ?

— Quand tu me provoques pour savoir si je t'aime encore.

Il esquisse un sourire. Elle lâche sa barbe et se penche pour embrasser son cou.

— Le Peuple errant… murmure-t-il tandis qu'elle lui lèche l'oreille. Tu sais que je pourrais exister au-delà de notre sanctuaire. Arrête…

Il la repousse. Elle s'exécute avec un soupir irrité.

— Tu m'agaces, dit-elle.

— J'ai réfléchi. J'ai la trouille, amour. J'ai vraiment la trouille.

Elle lui caresse les cheveux. Elle lui sourit. Il se dérobe pour saisir le drap et les couvrir tous les deux.

— Je vais devenir une statue. Une foutue statue de pierre.

— Tu as ressenti l'Appel. Tous n'ont pas cette chance. Tu vas donner la vie.

— Tu vas me perdre. Un peu plus chaque jour. Une nuit, je ne pourrai plus te faire l'amour. Un matin, je ne pourrai plus parler. Te dire que…

— Tu as peur pour moi ?

— Peut-être.

— J'accepte l'Appel. J'accepte de te perdre pour te retrouver. Nous vivrons autrement. Tu seras à côté de moi.

— Ce sont des âneries, tu le sais. Je vais me dissoudre dans le Nexus, je vais me réduire à une présence, juste une sensation. Un fantôme.

— Amour, tu vas être notre refuge. Tu vas enchanter le Sycomore, ses clients… Et nous. Ta famille.

— On dirait que c'est plus facile pour toi. Que tu as déjà accepté que je crève ici.

— J'ai accepté. Ça ne m'empêche pas d'en souffrir.

— Je sais, admet-il du bout des lèvres.

— Le nécrovent t'a embrouillé l'esprit. Son nom ?

— Peu importe. Je crois que j'avais besoin d'entendre quelqu'un me parler d'une alternative.

Elle se cale contre un oreiller, rassemble ses cheveux en chignon et les fixe avec une broche.

— Ce geste… il va tellement me manquer.

Il lui saisit une mèche rebelle et l'entortille autour de son doigt.

— Je serai toujours là, dit Lilas. Toujours, quoi qu'il arrive.

— Je sais… tu en es capable, dit-il avec un mince sourire. Il prétend que tu t'habitues. Qu'à force, ton esprit se libère. Qu'il se coule dans les lignes de fuite.

— Tu as navigué sur le *Recouvrance*. Tu as entendu les âmes errantes. Leurs gémissements… C'est un monde de souffrance, un monde de solitude. C'est avec elles que tu veux vivre ?

— Je peux les aider…

— Tu vas devenir comme elles. Elles cherchent le *second souffle* et oui, quoi que tu en penses, tu feras comme elles, c'est une certitude. Ce type joue avec une image romantique. Tu deviens une proue, tu fais corps avec l'écume… Il a déjà essayé de me vendre sa camelote.

— J'ai besoin de sacré.

— Tu as la trouille… et je comprends. Je te jure, je comprends. Mais l'Ancrage n'est pas une fin, tu le sais mieux que moi. C'est aussi sacré que le reste. Tu vas accoucher d'une fée-Nexus, amour ! Tu vas devenir mère, tu vas devenir passeur, tu vas plonger au cœur du monde. Qu'est-ce que tu veux de plus ?

— Savoir. Savoir ce qu'on ressent au moment où le cœur se fige.

— On veut tous savoir.

— Tu m'oublieras ?

— Jamais.

— Tu m'oublieras, insiste-t-il. Je veux en être sûr. Tu dois refaire ta vie.

Elle rit et saisit son entrejambe avec force.

— Ne fais pas cette tête !

Il cède à sa légèreté et rit à son tour.

— Tu as raison. Je m'apitoie.

Soudain, le souvenir se dissout : Lorgue lui a saisi fermement le poignet.

— Concentre-toi. Ils arrivent.

Lilas chasse la main du vétéran et prend une profonde inspiration.

— Je suis là, dit-elle d'une voix sourde.

Le chant des sirènes s'est amplifié et vibre dans le dortoir. Elle jette un œil sur leurs poursuivants. Le Peuple errant porte le *Recouvrance*. À présent, elle peut distinguer de minces bourrasques couleur de plomb s'enrouler autour des mâts et ruer dans les voiles gonflées.

Le Peuple errant. Sa conscience trébuche de nouveau. Défier l'Ancrage en devenant une figure de proue équivaut à une condamnation. Un écartèlement entre deux principes contradictoires, deux forces que tout oppose : d'un côté, la Verticalité, le besoin viscéral de s'enraciner pour ramifier les Lignes-Vie, et de l'autre, les

Horizons, les lignes de fuite qui régissent le voyage et le mouvement.

Réservée et assise près de Saule, Brune émet soudain un gémissement aigu.

— Qu'est-ce qu'elle a ? grommelle Lilas. Saule, occupe-toi d'elle.

Son fils s'est accroupi devant la jeune fille pour la prendre dans ses bras. Brune se débat, les joues rouges, le front luisant.

— Calme-la ! ordonne sa mère.

Lilas reporte son attention sur les navires. Sa poitrine se serre.

— Lorgue, à moi, dit-elle, le regard fixé sur les serpents noirs et huileux qui se déploient à l'avant des navires.

— À tes ordres…

— Trois accès, fait-elle en désignant les trois lucarnes qui donnent sur le dortoir. Je reste ici, tu prends celle de gauche. Saule, viens ici.

Son fils abandonne Brune à contrecœur et s'approche de sa mère.

— Elle est paniquée. Qu'est-ce qui se passe ?

Lilas désigne les volutes noires qui précèdent le *Recouvrance*.

— Des spectres, dit-elle. Ils vont nous harponner.

Orme, figure de proue du *Recouvrance*, a la bouche grande ouverte. La pétrification qui régit son corps de pierre consent à ce redoutable effort. Le nain, ancien forgeron royal, a oublié qui il était depuis longtemps.

168

Statue dévolue à la nécromancie, il obéit à un ordre précis et convoque à ses lèvres les âmes errantes prises dans les voiles du navire.

En guise de souffle, il crache une bile d'onyx, une concrétion poisseuse qui se déploie autour de l'étrave comme un gigantesque serpent de mer. Les âmes choisies utilisent la bouche du nain comme la gueule d'une fontaine. Déversées, vomies, elles cherchent leur salut dans le jet noir et furieux. Sans conscience, mues par le seul désir de dévorer la chair, elles veulent leur incarnation, elles veulent échapper à la solitude en se nourrissant des corps qui scintillent dans l'aura de la géode.

— On a nos chances, capitaine ?

— Il faut les empêcher d'entrer, dit Lilas. Les contenir coûte que coûte.

Elle pointe le doigt sur Soline :

— Prends Brune avec toi et cachez-vous.

— Non, je ne la laisse pas toute seule.

— Si, répond la jeune fille.

Debout, Brune les dévisage un à un et tend la main :

— Une arme. Je protégerai Soline. Venez, madame.

— Ma petite…

— Tu es sûre de toi ? demande Saule.

Brune se contente de saisir la main de Soline avant de l'entraîner dans le couloir.

— C'est mieux comme ça, dit Lilas. Ne t'inquiète pas. Elle est forte, elle se débrouillera.

Lilas pose les mains sur son visage et se lisse lentement les cheveux sur le crâne.

169

— Tu a déjà affronté… ça ? demande son fils.

— Non. À l'époque, j'étais de leur côté.

— Qu'est-ce qui va se passer ?

— Ils ont faim. Ils veulent ta chair pour s'extraire des champs féeriques. Pour exister ici, parmi nous. Et par-dessus tout, ils veulent ta fée. Bouffer ta fée, c'est un second souffle.

Lorgue grogne et dégaine son arme. Saule l'imite, la mine grave.

— On peut se battre avec nos armes ?

— On va bientôt le savoir.

La géode est désormais une immense caisse de réso-nance soumise au chant des sirènes. Lilas, le front plissé, essaye d'oublier cette symphonie syncopée qui ressemble à la rumeur d'une foule en colère. Des éclats de voix cristallins scandent le rythme et semblent, à chaque fois, gifler la créature qui se dresse à moins de dix mètres de la géode.

Le monstre, brandi comme un fouet entre les lèvres du nain, hésite aux frontières de l'aura, la gueule esquissée par des spectres entremêlés, bouquet de corps émaciés qu'on aurait plongés dans la mélasse. Les spectres se disputent la primauté de l'assaut. De leurs mouvements désordonnés jaillissent des viscosités qui s'éparpillent à la surface de l'eau et mouchettent l'écume de perles noires.

La fée de Lilas cogne entre ses seins.

Je sais, ma belle, je sais, la rassure Lilas en pensée. *Je suis prête. Ils ne te toucheront pas, je te le promets.*

Un frémissement se répercute dans la structure de la géode. Les spectres chargent une première fois l'aura. La géode perd brutalement le cap et penche sur le côté.

— Agrippez-vous ! crie Lilas.

Chacun tente d'amortir le choc. La sphère percute la surface, rebondit. Des craquements couvrent le chant des sirènes. L'impact renvoie la géode sur son axe. La créature, elle, se rétracte et prépare déjà un nouvel assaut.

— On tient bon ! lance Lilas, une main cramponnée à la poignée de la lucarne.

L'aura cède dans un chuintement, comme un dernier soupir qui fige les champs féeriques. Lilas devine le vertige de sa propre fée et s'écroule brutalement, les muscles tétanisés.

— On… tient bon, articule-t-elle, la mâchoire prise dans un étau.

Un voile cramoisi altère sa vision. Elle croit distinguer Lorgue se hissant péniblement sur ses jambes, puis son fils – est-ce bien lui ? – qui accourt dans sa direction. Elle tâtonne à ses hanches, cherche le manche de ses haches. Elle hurle lorsque l'ombre fond sur elle.

— Mère ! Lève-toi.

Le visage de son fils émerge de l'obscurité.

— Allez ! Lève-toi, lève-toi !

Sa voix est déformée. Lente et grave. Lilas serre les dents, guette un signe de sa fée. Sa poitrine est vide. Impossible, en l'état, de convoquer l'armure zéphirine.

Une lucarne explose.

Lorgue rugit et le brouillard, enfin, se dissipe.

Trois spectres ont pénétré dans le dortoir et assaillent l'ancien soldat. Trois créatures enragées et squelettiques, la gueule ouverte sur un cri muet. La mélasse coule sur leur visage comme un masque de boue. Leurs bras fouettent le vide et cherchent à agripper le vétéran.

D'autres spectres se pressent dans l'ouverture trop étroite et se disputent comme des chiens enragés pour la franchir le premier.

— À ton poste, ordonne Lilas d'une voix sèche en repoussant son fils vers la lucarne qu'il est censé protéger.

Cette dernière se bombe et explose à son tour sous la pression. Des mains décharnées écartent et dispersent les fragments de l'armature.

Un grognement. Lorgue, acculé dans un angle de la pièce, rue pour repousser la mâchoire d'un spectre plantée dans son épaule. Lilas jauge la situation d'un regard. Tenir les lucarnes n'est plus une option. Déjà, il faut fuir, se replier dans les entrailles de la géode.

— Saule, la porte ! fait-elle en se propulsant vers Lorgue.

Le vétéran peine. Son épée s'enfonce, impuissante, dans les corps visqueux. Lilas se jette dans la mêlée avec une énergie désespérée.

Devant elle, un spectre s'incarne. La chair qu'il mâchonne chasse la boue qui ruisselle sur sa gueule et dessine peu à peu les contours d'un véritable visage. Lilas étouffe un juron. Elle sait que le spectre renoue peu à peu avec son intelligence, que les lambeaux arrachés à l'épaule de Lorgue déchirent le voile de l'errance en lui offrant une nouvelle incarnation. Ses yeux masqués par la mélasse se découvrent et sondent la naine avec une intensité maladive.

Lilas, féroce, attaque de front. Elle veut empêcher la créature de prendre l'initiative, elle l'assaille et la repousse pour permettre à Lorgue de se dégager.

— La porte !

Lorgue obéit et parvient à rejoindre Saule qui veille devant la porte ouverte.

Lilas rompt l'engagement et protège sa retraite de vastes moulinets qui freinent l'avancée des spectres. D'autres se sont engouffrés dans le dortoir tandis que les suivants, vissés aux montants de la lucarne, s'efforcent de freiner le bâtiment.

Les spectres déliés le long du corps du serpent constituent désormais un lien puissant, un cordage funeste qui rapproche inéluctablement le *Recouvrance* de la géode. Le bâtiment montre d'ailleurs des signes de faiblesse : le bois se fendille, des bruits sourds ébranlent la structure et menacent son intégrité.

Saule s'écarte pour les laisser passer tous les deux. Lilas pousse Lorgue devant elle et s'engage dans une large coursive. Elle se souvient tout juste du chemin emprunté à son arrivée dans le bâtiment.

— Brune, on doit la trouver, lance Saule qui a claqué la porte derrière lui.

Une sirène apparaît au bout de la coursive. Reptation erratique, cheveux poissés de mélasse. Elle titube et cogne contre une paroi comme une toupie livrée à elle-même. Lilas se précipite à sa rencontre. La sirène s'effondre dans ses bras, les lèvres ourlées de sang. Le corps porte la marque d'innombrables blessures. Le sang qui inonde ses écailles a laissé derrière elle une longue traînée cramoisie.

— Elle est condamnée, dit-elle. Lorgue, ta dague.

Visage marqué, le vétéran tend son arme. La porte du dortoir tremble sur ses gonds. Lilas place la dague dans l'axe du cœur et l'enfonce d'un coup sec. La sirène se cambre et roule sur le flanc.

— Par là, dit Saule en indiquant une étroite coursive plongée dans l'ombre. Brune… elle est par là.

Lilas hésite et finalement hoche la tête. Saule empoigne fermement son marteau de guerre.

Course éperdue, respiration haletante. Les sirènes se sont tues pour défendre leur navire. Une bataille rangée se livre dans les coursives. Saule presse le pas, dépasse et bouscule des duels féroces.

Tous trois débouchent soudain au bord du vaste bassin de la polyphone.

Elle se dresse au milieu de l'eau. Des sirènes ensanglantées l'entourent et font barrage à une meute grouillante qui a transformé l'eau claire en un marécage couleur ardoise.

Les sirènes livrent un combat désespéré et parviennent encore à tenir leurs adversaires à distance.

— Brune ? demande Lilas.

Saule hésite et regarde autour de lui. Le vacarme spongieux de la meute noie l'écho de sa fille adoptive. Jusqu'ici, il a senti sa présence, il a laissé son instinct le guider dans le dédale. À présent, il est perdu. La géode n'est plus qu'un espace hostile et froid.

— Brune ! hurle-t-il à pleins poumons.

La sensation de pouvoir la perdre lui brûle la poitrine. À l'intérieur du bassin, des spectres font volte-face et abandonnent les sirènes pour progresser lentement dans leur direction.

— Par où ? demande Lilas d'une voix stridente.

Son impuissance l'enrage.

Un son. Saule, le cœur comprimé, contrôle sa respiration. Lorgue se tient l'épaule, le visage livide. Lilas, elle, repousse les premiers spectres qui tentent d'escalader le rebord.

Soline ? Soline, c'est toi ?

Saule est persuadé d'avoir saisi un souffle fugitif, une bouffée jetée dans les coursives comme une bouteille à la mer. Il expire, la langue dardée entre les dents pour saisir la moindre perturbation de l'air.

Seules. Cernées.

Les deux mots ont un goût de panique. À Lorgue qui l'interroge du regard, il impose le silence d'un petit geste de la main.

— Soline, elle me parle, lâche-t-il avant de fermer les yeux.

Où êtes-vous ?

Il a soufflé sa question comme on souffle un baiser, la paume perpendiculaire au menton, les doigts serrés pour intimer une direction au souffle. Il répète l'opération aux quatre points cardinaux.

— Je ne vais pas tenir ! crie sa mère.

Des spectres à visage découvert se sont dispersés sur le pourtour du bassin et s'arrachent péniblement de l'eau noire comme des vieillards.

— Vite, mon ami ! Vite ! dit l'ancien soldat.

Saule se contente d'un froncement de sourcils, l'attention focalisée sur *l'arrière-souffle*, cet espace indéfini qui s'appréhende tout juste aux frontières des deux mondes, entre les champs féeriques et le monde concret. L'Envers ou l'arrière-souffle que les Anonymes considèrent comme l'unique réalité… À cet instant, le nom importe peu. Seul compte cet univers ouaté où la conscience peut filtrer les sons et isoler ceux qui intéressent le nain.

Le vacarme du bassin s'atténue. Tel un chef d'orchestre, Saule fait taire les bruits qui font écran entre Soline et lui. Les craquements de la géode se dissolvent, la voix de Lorgue devient un chuintement inaudible. Il n'y a plus que lui et la vieille cuisinière du Sycomore séparés par des cloisons de bois, une architecture que l'arrière-souffle disperse comme des feuilles de papier.

Soline est là-bas, dans une large cabine qui ressemble à une salle de musique.

Sous ses paupières fermées, Saule embrasse la scène tout entière : Brune, une épée à la main, est juchée sur un clavecin. Pieds nus, la robe lacérée, visage gravé par une expression sauvage. Ses pieds nus martèlent le couvercle de l'instrument. À terre, des braseros ont dispersé leurs braises qui grignotent le parquet et soulèvent des corolles de fumée blanche. La lumière sculpte le visage de Brune : expression sauvage, regard déterminé. Saule ne lit aucune peur dans ce regard et manque de rompre le contact, submergé par l'émotion. Le courage de sa fille rend le danger encore plus prégnant.

Soline est juste derrière elle, échevelée, le cou en sang, assise de biais sur le tabouret du clavecin, mimant une partition silencieuse au-dessus du clavier. Saule devine qu'elle cherche sa transe dans une rigueur mélodieuse, que ses gestes dressent un rempart structuré entre la folie et elle.

Tenez bon.

Soline se fige, les deux mains suspendues au-dessus du clavier. L'encouragement murmuré à son oreille décrispe son visage. Et elle joue, le regard farouche.

Le bassin de la polyphone agit comme un aimant pour les spectres jetés dans la bataille. La plupart d'entre eux se tiennent pourtant à l'extérieur de la géode, vissés aux lucarnes comme des sangsues pour freiner la course du navire et permettre au *Recouvrance* de l'aborder. Une centaine de mètres séparent désormais les deux bâtiments.

Saule, sa mère et l'ancien soldat se fraient un passage dans les coursives désertées.

La salle de musique se présente dans une bouffée de fumée blanche. Saule s'engage à l'intérieur. Odeur âcre et abrasive, décor flou. Saule tousse, trébuche et poursuit sa progression, guidé par les halètements de sa fille.

Un spectre apparaît devant lui, dos tourné. Le marteau frappe la créature à la tête et la déporte violemment contre une paroi.

— Brune ! Je suis là !

Saule a crié la rage au ventre. Un spectre surgit, incarné du haut du crâne jusqu'au nombril. Sous la peau, ses veines gonflées de mélasse dessinent une toile noire et cordée qui affleure comme des racines apparentes autour de son cou. Saule pressent le danger. Les gestes de l'ennemi sont fluides. Le marteau fuse et échoue dans le vide. Une main perce la fumée et griffe sa joue. Saule se dégage d'un coup d'épaule. Le spectre se renfonce dans la fumée. Saule entrevoit sa mère le dépasser par la droite. La fumée, toujours plus grasse et épaisse, lui irrite les yeux et gêne la circulation du souffle dans sa gorge.

Il tournoie sur lui-même. La créature est là, à l'affût.

— Brune !

Trahir sa position n'a aucune importance : il veut sa fille.

— Père !

Le son vient de la gauche. Il avance. Une main lui saisit la nuque et lui arrache un cri. Il fait volte-face. La fumée crache l'ennemi comme un jet de vapeur, à la périphérie de son œil droit. Le nain ressent une douleur cinglante à l'avant-bras. Il rugit, balaie l'espace avec son marteau d'un large mouvement transversal.

Elle me saigne, pense-t-il. Cette saloperie me saigne comme un porc.

Il décide d'avancer, menton rentré. Il se ramasse, il se compacte pour charger droit devant lui et rejoindre sa fille. Des mains, plusieurs fois, lui lacèrent le flanc, le dos. Il grimace, dents serrées, et avance encore.

Le clavecin surgit, îlot incertain dans une chaleur étouffante. Brune tient son arme à deux mains et effectue des moulinets désespérés devant elle. Saule ne réfléchit pas. Il se présente de flanc et heurte les spectres avec la volonté d'un bélier. Le rang se disloque et lui ouvre un passage. Saisir sa fille par les jambes. La soulever, la tenir comme un mât au-dessus de la mêlée. S'élancer, de nouveau. Ignorer les ongles qui labourent sa chair, une mâchoire qui s'enfonce dans son dos. Ruer pour s'en débarrasser. Tenir sa fille.

La tenir.

Sa mère se porte à sa hauteur.

— Soline ! hurle-t-il sans ralentir. Sauve-la.

Saule veut sortir à tout prix et échapper à l'atmosphère irrespirable, à cet ennemi invisible qui le harcèle. La porte surgit devant lui. Au-delà, la coursive n'est plus qu'une perspective déformée par les volutes de fumée.

Un corps en travers : Lorgue, à l'agonie. Une plaie ouverte lui barre le cou. Il halète, gargouille. La vie déserte à vue d'œil sa vieille carcasse. Le souffle, ténu, siffle entre ses lèvres blanchies.

Saule pose Brune au sol et plaque sa main sur la blessure du vétéran. Le sang coule entre ses doigts.

— Il va mourir, dit Brune.

— Je vais le porter. Reste près de moi.

— Il va mourir.

— Je sais !

Saule arrache un morceau d'étoffe et le noue autour du cou de Lorgue qui gémit et proteste d'une main molle.

— Tais-toi, grince Saule. Tais-toi, tu viens avec nous.

Lilas recule pas à pas dans la coursive. Saule a jeté le corps de Lorgue sur ses épaules et progresse lourdement vers la salle principale. Brune et Soline sont serrées l'une contre l'autre, entre le fils et la mère.

Lilas a condamné tant bien que mal la porte de la salle de musique et imposé une seule consigne : rallier la salle principale pour sauver la polyphone. Elle ne voit pas d'alternative. Elle espère un sursis et refuse d'envisager que la confrontation soit sans issue.

Tous ont conscience que la géode agonise. À présent, le bâtiment gîte sur la gauche et ralentit leur progression. Par deux fois, une violente secousse les a jetés au sol au moment où la géode heurtait les vagues dans un grondement assourdissant.

Lilas ignore comment le navire privé du chorus et de son aura peut encore se maintenir au-dessus des flots et résister à la traction contraire exercée par le *Recouvrance*.

Le combat fait toujours rage dans le bassin. Saule, ployé sous le poids du vétéran, s'immobilise sur le seuil. La polyphone a rallié autour d'elle les dernières survivantes du chorus. Neuf sirènes immergées jusqu'aux seins, qui murmurent d'une seule voix un chant silencieux, une modulation imperceptible à l'oreille.

Les spectres forment un anneau dense et grouillant autour du chorus, une forêt de créatures décharnées, bras tendus, qui pressent contre un mur intangible.

Les spectres incarnés se détachent au nord du bassin. Ils n'imitent pas le gros de la meute et se contentent d'osciller doucement dans l'eau noire, les yeux clos.

Saule dépose Lorgue au sol. Un incarné ouvre les yeux et fixe son regard sur lui.

— Ne bougez pas… murmure Lilas. Surtout, ne bougez pas.

La meute demeure silencieuse. La pièce vibre du bruit humide des corps qui frottent les uns contre les autres.

Un râle meurt sur les lèvres de Lorgue. Il s'affaisse sur le côté, le regard vide.

— Il est mort, constate Brune d'une voix faible.

— Silence… marmonne Lilas.

— Qu'est-ce qu'on attend ? grommelle Saule. Mère ?

Lilas est penchée sur le corps de son vieux compagnon. Un grondement sourd retentit comme si quelque chose raclait contre un flanc de la géode.

— Le *Recouvrance* est sur nous.

Saule serre Brune contre lui. Soline, traits tirés, a glissé contre la porte. Une main glissée entre les doigts inertes du vétéran, elle murmure une prière, indifférente à la scène.

— Il faut forcer le passage, articule Lilas. Sauver Scadre.

Au centre du bassin, cette dernière hoche la tête.

— Tu m'entends ? Il le faut, insiste-t-elle. Je vais venir te chercher. Tu vas nous sortir de là.

Lilas a pris sa décision. Sans sa fée et l'armure zéphirine, plonger au cœur de la meute équivaut à un suicide. La mort de Lorgue ne lui laisse plus le choix. Elle se porte à la hauteur de Soline, lui saisit le bras et la relève délicatement.

— Je t'aime, dit Lilas dans une étreinte furtive.

Saule n'a pas le temps d'intervenir. Sa mère a brusquement saisi la vieille femme par la taille pour la jeter dans le bassin.

Brune hurle.

Soline pivote au bord de l'abîme, regard résigné, comme si elle acceptait la sentence.

Puis elle chute en silence.

Un flottement parcourt le rang des spectres. La meute s'ébroue, se détourne du chorus. Soline sombre entre les corps poisseux. Son bras se lève comme celui d'un noyé. Saule se précipite et tend la main pour la sauver.

Lilas l'écarte avec rudesse et bondit dans le bassin.

Soline disparaît. La meute se dispute le corps et ses promesses. Des mains déchirent sa tunique, des dents mordent dans sa peau flasque. Elle voit deux mâchoires se disputer les tendons de sa cuisse. Elle veut hurler mais un spectre dévore déjà ses lèvres arrachées.

Soline meurt et Lilas fend les rangs de la meute. Le sacrifice opère. Un chemin s'esquisse dans le bassin, une travée incertaine que Lilas défend avec une énergie redoublée.

D'un geste, la polyphone a chassé ses sœurs pour qu'elles empruntent la voie ouverte par la naine. Elles obéissent et se faufilent entre les spectres pour atteindre le bord du bassin.

Les incarnés ont réagi en premier. D'un mouvement concerté, ils s'arrachent à leurs oscillations et grimpent avec souplesse de l'autre côté du bassin.

La meute, désemparée, se dispute les derniers lambeaux de Soline et sépare encore les incarnés de la petite troupe rassemblée autour de Lilas et Saule.

Scadre, seule au cœur du maelström, se protège derrière un rempart qui se fendille. Un bras perce la croûte invisible et arrache une écaille. La polyphone frémit.

Les incarnés s'ébrouent et s'écoulent de chaque côté du bassin, épaules tassées et gueule inclinée. Leur marche résolue ressemble à celle des petits chefs qui écument les Bas-Côtés. Leur nudité glace le cœur de Lilas : vision contre nature d'une peau fraîche et délicate, semblable à celle d'un nourrisson, tendue comme un tissu sur une musculature hypertrophiée. Les veines noires et gonflées ne cessent de s'épaissir pour former un maillage sur le corps tout entier.

Une voix ferme l'interpelle :

— Il faut monter, dit Diène. Se réfugier au sommet.

Lilas parvient à ébaucher un sourire. La présence de Diène est un soulagement. Elle pivote et cherche Brune du regard. L'adolescente fixe toujours l'endroit où Soline a disparu. Pétrifiée, le teint livide. Saule, le premier, perçoit une variation dans les champs féeriques. Un bruit sourd enfle dans sa conscience.

Tu le sens aussi ? demande-t-il à sa fée.

La fée répond par une courte impulsion, un tiraillement qui ressemble à une convulsion.

Un murmure agite la meute dans le bassin. Les incarnés, eux, marquent le pas et finissent par s'immobiliser.

— Qu'est-ce qui se passe ? demande Lilas.

Brune s'affaisse lentement sur les genoux. Les sirènes réunies autour d'elle cillent et s'écartent. Des coups sourds cognent contre la géode : l'équipage du

Recouvrance se fraie un passage à l'intérieur du bâtiment.

Une sirène tournoie soudain sur elle-même et s'effondre sans un mot. Saule s'accroupit devant sa fille :

— Brune… regarde-moi. Regarde-moi !

L'adolescente grogne et le repousse d'une main fébrile comme si elle chassait un insecte. Saule veut l'entourer avec ses bras. Elle grogne de nouveau et recule sur les genoux, le visage transfiguré. Le lien indéfectible qui lie le nain à la renégate se contracte. Saule éprouve des difficultés à respirer et s'appuie sur sa mère, les côtes douloureuses.

— Brune…

Une autre sirène s'écroule brusquement aux pieds de l'adolescente. Brune grimace et s'essuie les lèvres comme un animal. Le chorus ne tente rien, hypnotisé par les vibrations qui secouent les champs féeriques autour d'elle.

— Il faut l'arrêter ! gronde Lilas.

Désemparée, la naine abandonne son fils et, les armes à la main, s'avance vers Brune.

— Arrête ça ! Réveille-toi !

Dans son dos, les spectres ont cessé de s'agiter. Un calme irréel règne parmi les incarnés et la meute immergée dans le bassin. À genoux, l'adolescente ne porte aucune attention aux menaces proférées par la naine. Sa poitrine se soulève, sa bouche expire avec lenteur.

Elle cherche son souffle, pense Lilas en effleurant le cou de la jeune fille du tranchant de sa hache.

— Arrête… ordonne-t-elle sans conviction.

Une houle puissante déforme les champs féeriques. Lilas grimace lorsque Diène s'effondre à son tour.

— Je t'en supplie… arrête.

Elle entend l'écho assourdi des marins du *Recouvrance*. Elle devine, sans y croire, un affolement comme si l'équipage cherchait désormais à abandonner la géode.

Solitude.

Sensation enfouie, refoulée dans les plis abyssaux de la terre.

Solitude.

Brune vacille. La mort de Soline a soufflé sur le voile qui recouvre ses souvenirs. Comme une bourrasque qui, déjà, s'éloigne et risque de laisser le voile retomber. Elle veut saisir les émotions, les sensations confuses qui tourbillonnent dans le passé et la font osciller au bord d'un abîme qu'elle redoute.

Le silence. L'oubli. L'ennui qui corrode la volonté, qui la muselle et enferme le temps dans une perspective morne et glacée. S'accroupir et devenir esclave de l'instant. Veillées interminables, jours et nuits qui se confondent et altèrent ses perceptions du monde. Ne rien faire, surtout ne rien faire qui puisse réveiller la douleur. Sa volonté est un muscle froissé. Pourtant, jadis, elle a *voulu*, elle a *choisi*. Rompre le contact, taire les petites voix adorées qui racontaient le spectacle des soleils et des mondes en mouvement, la mort d'une étoile et la naissance d'une autre, la douceur d'une voie lactée et la violence d'une contraction stellaire.

Se racornir, s'oublier au point de ne plus être qu'une petite boule de souffrance qui erre sous la voûte. Le silence qui habite l'écho de ses pas, qui le façonne comme un miroir mélancolique et lancinant de sa prison.

Solitude.

Le voile retombe.

Oubli.

L'aura fragmentée de la géode vibre d'une énergie nouvelle. L'impulsion qui émane de Brune se répand entre les fissures du précieux halo. Ses lambeaux se soudent à l'appel de Brune et se cristallisent dans la lumière de l'aurore. Le souffle qui anime la reconstitution fait ployer les champs féeriques. Brune s'inspire des derniers soupirs des sirènes défuntes dont les souffles flottent dans les coursives. Feuilles d'automne aux couleurs de leurs blessures, feuilles dispersées autour d'un arbre baptisé chorus. Brune perpétue l'empreinte de ce chorus. Elle la grandit et l'élève pour marquer les champs féeriques et offrir à l'aura un espace adéquat pour renaître.

Le champ de forces s'incarne, cosse palpitante et irradiante autour de la géode, dont la couleur se confond avec la mer. Le cordon ombilical qui reliait les spectres au *Recouvrance* rompt brutalement. Lilas serre les dents, les tympans vrillés par le hurlement de la figure de proue et le mugissement des spectres condamnés. Ces derniers se liquéfient sous ses yeux, statues de glace sous un soleil zénithal. En quelques instants, le couronnement du bassin se transforme en une plage boueuse semée de petites bulles qui crèvent à la surface, témoignage des derniers soupirs.

Brune est en position fœtale. Saule se traîne jusqu'à elle et la recouvre, les deux bras refermés autour de sa taille.

La polyphone, écailles noircies, balaye le groupe exsangue d'un regard impassible. Lilas, épuisée, glisse contre un mur et serre les doigts de son vieux compagnon. La main de Lorgue est froide. Elle se penche vers lui et dépose délicatement un baiser sur ses lèvres. Son dernier soupir forme encore une couche tiède et fragile sur sa bouche, comme du miel séché. Un goût sucré, à l'image de sa vie.

— Adieu soldat, murmure-t-elle.

— Elle nous a sauvés, dit Scadre en pointant le doigt sur Brune.

— Pas toi, dit Lilas. Ni moi, d'ailleurs. Juste lui. Elle a fait ça pour lui.

La polyphone acquiesçe.

— Le *Recouvrance* s'éloigne.

— Et les autres ?

— Ils le suivent. Ils ont abandonné. Je vais rassembler le chorus. Nous reprendrons la route bientôt.

Lilas opine du menton et se hisse péniblement sur ses jambes.

— Saule, viens, dit-elle.

Il lève les yeux.

— Non.

La haine couve dans son regard.

— Un appât… Tu as sacrifié Soline comme un appât. Tu crois qu'elle méritait de finir comme ça ?

— C'est fini, elle est morte. Ramène ta fille dans le dortoir.

Lilas marche à pas lents jusqu'au dortoir. Une odeur rance et tenace a envahi la pièce dévastée. La gorge serrée, elle s'approche de l'elfe. Il gît en travers du lit. Vivant.

L'émotion submerge Lilas. Elle ignore pourquoi les spectres l'ont épargné. Peut-être ont-ils considéré qu'il était trop fragile ou trop faible pour les nourrir.

— Pardon… pardon, dit-elle, à genoux au pied du lit.

Elle lui caresse les cheveux, elle prend son visage entre les mains et colle son front au sien.

— Pardon, répète-t-elle.

13

« Tu dis que tu reprends ton souffle.
Es-tu certain de l'avoir pris avant ?
À moins que tu ne l'aies prêté à
quelqu'un ? En tout cas, sois sûr que ton
souffle t'appartient. Sois conscient qu'il
existe, qu'il est unique et mortel. Alors,
tu auras le droit de le reprendre. »

Maître GANS, *Indécence*

Cinq arbres titanesques barrent l'horizon. Cinq troncs sans égal recouverts de milliers d'habitations limées par le sel. Élagués au fil des siècles, les cinq édifices culminent à près de six cents mètres au-dessus de la mer.

Les cinq tours vibrent d'un même défi : honorer la Verticalité et s'inscrire dans une liberté absolue à l'égard des Lignes-Vie. Des troncs, on ne distingue plus qu'une écorce fragmentaire, quelques vestiges épargnés par ce vaste substrat minéral aux couleurs claires. Ponts et aqueducs s'élancent au-dessus du vide et relient les cinq arbres afin qu'ils constituent une seule et même cité : l'Axile.

Lilas éprouve un léger vertige fidèle à ses souvenirs. La densité de l'architecture et la circonférence majestueuse des arbres résonnent avec ses origines dans une intimité troublante, comme si les lieux reflétaient une vision totale et débridée de l'Ancrage.

Les Proues fondatrices dominent la cité, cimes fines et dentelées qui contrastent avec les quartiers colonisés. Lilas n'est venue qu'une seule fois, mais elle n'a pas manqué de grimper l'escalier aux quatre cents marches qui monte jusqu'à l'anneau.

À l'époque, Frêne a peiné pour atteindre ce cercle de pierre où les habitants viennent rendre hommage aux nains fondateurs. L'Ancrage qui opère dans ses entrailles a freiné leur ascension. Lilas se remémore son visage cramoisi par l'effort, sa peau luisante, son souffle saccadé. Parvenu à l'anneau, Frêne s'est affalé avec soulagement sur l'un des bancs dispersés le long du chemin de ronde. Elle s'est assise à côté de lui. Ils ont penché la tête en même temps et se sont tus pour contempler les Proues fondatrices du cinquième arbre.

Frêne a brisé le silence le premier :

— On dirait une grappe de raisin.

— À l'envers, complète Lilas.

L'image lui a plu. Les Proues s'entassent et se chevauchent le long de la cime, mains ouvertes sur le large.

— Je te raconte ? a soufflé Frêne.

— Bien sûr.

Frêne considère ce voyage comme le dernier. Lilas a la conviction que la parole éloigne l'Ancrage, que les mots sont des vibrations qui ralentissent sa propagation.

Il s'est éclairci la gorge :

— Imagine une flotte de nécrovents. Pas moins d'une vingtaine de navires.

— Des fossoyeurs ?

— C'est ce que l'on prétend. Sur les traces d'un sirocco de trois ou quatre cents âmes… Ils le chassaient depuis près de trois mois.

— Une battue en haute mer.

— Oui, si tu veux. Mais ce n'est pas ça qui est important.

Il a tourné son visage vers elle.

— L'important, a-t-il insisté, c'est la présence d'un chorus dans le sillage de la flotte. Une géode et son chœur de sirènes. Elles tenaient à la liberté du sirocco et voulaient empêcher les nécrovents de le capturer.

— Je n'aime pas tes nécrovents.

— Tu as tort. Enfin… bref, ce n'est pas le sujet.

— Tu racontes mal, amour.

— C'est toi qui m'interromps tout le temps !

— Le chorus, donc…

Il a soupiré et montré une Proue.

— Celle-ci, je crois, appartenait au *Valorme*. Un navire rapide, un rabatteur. Il a sombré le premier.

— Tu vas trop vite !

— Tu as raison.

Il s'est essuyé le front avec un chiffon en jurant entre les dents.

— Tu as soif ? a-t-elle demandé. Tu me raconteras plus tard si tu veux.

— Non, maintenant. S'il te plaît.

— Je t'écoute…

— Le chorus a attaqué la flotte, voilà… Il a utilisé le sirocco comme un levier, tu vois ce que je veux dire ?

— Pas trop.

— Les vagues. Le chorus a levé une tempête avec le sirocco. Cela ne devait pas tuer les marins. Juste disperser la flotte.

— Pour que le sirocco s'échappe…

— Voilà. Mais la tempête les a dépassées.

— Qui ? Les sirènes ?

— Elles n'ont pas su la contrôler. Elles ont levé des vagues énormes. Les âmes avaient une revanche à prendre, les nécrovents ont été balayés. Sauf que le chorus n'avait pas voulu ça, tu comprends ?

Il s'est interrompu pour attraper la gourde et boire, paupières baissées.

— L'Axile est né, enfin, je veux dire, le concept même de l'Axile est né de ce remords. Tu imagines la scène ? Une mer déchaînée, des navires disloqués qui sombrent… Les sirènes ont cherché un pardon. Elles ont accompagné les équipages, elles les ont veillés dans l'abîme.

— Un sacrifice ?

— Non, de l'amour. Elles ont fait l'amour aux Proues.

— Tu plaisantes ?

Il lui a pris la main avec tendresse.

— Ferme les yeux. Tu es dans une eau noire, froide. Tu es une Proue et tu es terrorisée. Tu glisses vers les profondeurs. Dans le silence, dans la mort. Peut-être que le beaupré se brise et que tu vois le navire te précéder, s'enfoncer dans l'obscurité. Tu essayes de retenir ta respiration, de contrôler ton souffle. L'eau envahit tes poumons. Et puis une silhouette surgit devant toi. Tu te crois mort, tu imagines que c'est un rêve inspiré par le dernier soupir, mais elle est là. Une sirène. Elle vient contre toi, elle te désire, elle te fait l'amour.

Elle a fait une moue dépitée :

— Tu peux bander… quand tu es ancré ?

— Amour ! C'est vrai tout ce que je te raconte.

— Une sirène peut délier l'Ancrage ?

— On peut le croire. Il existe quelques cas. Très rares, mais avérés.

194

— C'est une légende.

— Tu n'es pas drôle.

— Comment elle finit, ton histoire ?

— Par la semence. Sirènes et Proues ont fait l'amour le temps de la chute, jusqu'à ce que les navires s'échouent sur le sable. Les Proues ont joui et leur semence a donné naissance aux arbres.

— Une histoire d'hommes, hein ? Je jouis donc je crée.

— Ne commence pas. Le souffle était à l'œuvre. C'est grâce au chorus que…

Elle l'a fait taire d'un baiser pointu et furtif :

— C'est une belle histoire, tu sais. Je te jure, je le pense. Et elles, alors ? a-t-elle fait en désignant les Proues au-dessus d'eux.

— Des arbres ont poussé. Certains sont morts, mais cinq d'entre eux sont parvenus à émerger au-dessus de la mer et ont continué à pousser. Ils ont mûri. Les Proues sont des héritières. Elles ont été accouchées par les arbres eux-mêmes. Et ce sont elles, maintenant, qui veillent sur l'Axile.

— En fait, l'Axile est né dans la douleur.

— Du remords et de l'amour.

— Je n'aime pas cette idée. Le remords qui te pousse dans les bras d'un inconnu, ce n'est pas de l'amour.

— Et c'est quoi, alors ?

— Du sexe ? l'a-t-elle taquiné.

— Je t'en prie…

Lilas songe à la cité elle-même, à ses détours, au bourdonnement incessant des monte-charge, à ce commerce fiévreux qui embrase chaque recoin de la cité, de jour comme de nuit. L'Axile est un fourneau, un creuset pour tous ceux qui veulent s'écarter des Lignes-Vie. On ne vient pas à l'Axile, on y échoue. En phagocytant les reliefs de l'écorce, en exploitant la sève comme un combustible bon marché, les Proues ont érigé un refuge sans condition. Pour autant, Lilas connaît la promesse de l'Axile, cet espoir diffus qui anime tous ses habitants.

Se refaire.

L'expression résonne comme un leitmotiv dans les tripots et les tavernes. Se refaire au-delà des lignes de fuite. Une renaissance, en somme. Dans les vapeurs brûlantes des bains suspendus, dans la brume des ports, dans les vents qui balaient les terrasses, dans la fumée des tanneries et des forges… L'Axile oppresse et délivre, l'Axile existe dans ses ombres et ses recoins.

Frêne riait lorsqu'elle faisait trembler un monte-charge abandonné pour aller à la rencontre d'une communauté de mendiants et leur acheter le gros coquillage d'un souffle oublié. Il boudait lorsqu'elle le forçait à progresser dans des artères crasseuses pour déboucher sur des arrière-cours vertigineuses et admirer l'étrange ballet des rats volants.

Elle croyait, sans oser le lui dire, que défier la verticalité retarderait l'Ancrage, au même titre que les mots, que leurs périples audacieux dans les méandres de la cité, étaient un adieu fébrile, une autre façon de lui dire combien elle aimait sa vie avec lui.

Elle l'aimait, oui, au point de se jouer du destin et de provoquer des mercenaires esseulés qui hantaient les remblais pour que Frêne l'entraîne par la main et la conduise dans des ruelles pentues où, le danger passé, ils faisaient l'amour contre un mur avec un désir frénétique. Il la pénétrait et elle léchait le sang d'un mercenaire sur ses phalanges, il pétrissait ses seins et elle gémissait, les yeux plantés dans l'œil trouble d'un noctambule.

Sans doute la dernière fois qu'elle s'était sentie si vivante, consacrée par ses caresses.

La géode frissonne au contact du débarcadère. Le port du cinquième arbre de l'Axile se découvre dans un vacarme assourdissant où des dizaines de navires manœuvrent pour déverser voyageurs et marchandises sous le regard goguenard des pêcheurs. L'odeur du poisson sature l'atmosphère. Un marché labyrinthique épouse la base de l'arbre sur toute sa circonférence. Une foule compacte et bigarrée s'écoule lentement entre les échoppes avant de s'engouffrer dans les escaliers ou de s'entasser sur les monte-charge.

Brune et Saule patientent sur le quai, repliés sur eux-mêmes.

Il leur faut du temps, elle le sait. Elle ne veut pas les brusquer, elle veut leur laisser l'occasion de la comprendre, de déchiffrer l'absolue nécessité du sacrifice de Soline.

Lilas a vécu seule les trois derniers jours de la traversée. Livrée à cette image grinçante de la vieille femme jetée en pâture. Blottie sous une couverture, elle a hurlé, le nez dans un coussin poussiéreux, pour se répéter qu'elle n'avait pas le choix. Plusieurs fois, le visage de Lorgue s'est confondu avec celui de Soline. Un masque hideux, portrait déformé de ce qu'elle a laissé derrière elle. Deux visages pour deux amis qui enrobaient sa vie. Leur mort conforte ce qu'elle a ressenti depuis que son fils a frappé à la porte du Sycomore. Malgré elle, elle cherche un écho aux sensations éprouvées avec Frêne avant que l'Ancrage ne s'achève et ne le réduise au silence. Une intensité trouble et vitale, des étreintes et des confidences exacerbées par l'imminence de l'Ancrage.

Un nouveau souffle.

Il lui tarde de retrouver ses enfants au complet. Sa famille fait sens, même si Frêne est resté là-bas, au Sycomore. Errence, lui, n'a pas recouvré ses esprits et demeure dans un état cataleptique. Elle a essayé. Plusieurs fois. Avec des mots murmurés à son oreille, avec des gestes tendres. Elle a dormi contre lui et tenté de le nourrir, sans succès. L'esprit de l'elfe semble inaccessible, retranché derrière les blessures infligées par Brune et les Anonymes.

Elle grimace et noue ses cheveux en queue-de-cheval. Elle a envie de se plonger dans un bain chaud, de relâcher la tension accumulée.

Elle ignore pourquoi la polyphone n'a rien exigé en échange de la traversée. Leurs conversations durant ces trois derniers jours se sont cantonnées au strict minimum. Le chorus décimé lui a renvoyé la même hostilité que son fils, une hostilité muette et manifeste. Lilas a provoqué des survivantes, elle a voulu forcer le dialogue et exiger de rencontrer Scadre. Mais, confrontée à un silence poli ou des réponses évasives, elle a fini par renoncer.

Diène aurait peut-être pu l'aider, mais Diène est morte. La sirène lui manque, même si toutes les deux se connaissaient à peine. Brune l'a sacrifiée, elle et trois autres membres du chorus, pour sauver la géode. Sans avertissement, comme si la sentence allait de soi. Le mystère autour de l'adolescente s'épaissit et l'oppresse.

À présent, Lilas guide les deux colosses recrutés sur le quai pour porter Errence. Couché sur une planche, la taille et le front ceints d'une lanière de cuir, l'elfe ne réagit pas au cahot imposé par les deux porteurs.

— Doucement, les gars, ordonne Lilas.

Les deux hommes haussent les épaules. Saule et Brune marchent en retrait, intimidés par les perspectives vertigineuses de l'arbre.

Lilas désigne un monte-charge.

— On prend celui-là.

— Il est trop petit. Essaye l'autre, là-bas, dit un des colosses.

— Celui-là, insiste-t-elle.

La naine a reconnu l'engin qui les avait emmenés, Frêne et elle, jusqu'au Galeux, l'établissement où elle a fixé rendez-vous à ses enfants : une plate-forme en cuivre encadrée par une balustrade aux pommeaux ouvragés, lustrée par le temps et conduite par un elfe rachitique.

Les cheveux sales et hirsutes, vêtu d'une chemise défraîchie qui découvre bras et jambes, le dénommé Syre est vautré sur un tabouret qu'il balance sur un pied.

Il tient une pipe en ivoire entre deux doigts jaunis et hoche la tête avec indolence. Elle ne sait plus très bien pourquoi ce personnage lui avait inspiré confiance. Peut-être parce qu'il leur avait offert la montée. « T'es tout dur en dedans, avait-il soufflé en toisant Frêne. Bientôt la fin, hein ? C'est pour moi, les amoureux. Profitez bien, ce sera plus très long… »

Syre la laisse approcher et interrompt son balancement.

— T'es déjà venue, lâche-t-il d'une voix traînante.

Elle acquiesce d'un petit mouvement de tête et fait signe aux deux colosses de déposer Errence dans le monte-charge.

— Le Galeux existe toujours ? demande-t-elle en leur lâchant trois deniers.

— Ouais.

— Et Jesha ?

— Toujours là.

L'elfe se caresse le menton :

— La fille, dit-il d'une voix éraillée par le tabac. Elle pue.

Saule se fige.

— Elle est avec moi, rétorque Lilas d'une voix neutre.

— Mais elle pue.

Il reprend son balancement et les ignore. Saule, traits tirés, se plante devant lui. Lilas s'interpose et s'accroupit sur les talons.

— Syre, c'est ça ? Tu avais vu juste, dit-elle. Frêne s'est ancré quand nous sommes rentrés.

— Je me souviens de lui. Tu t'en es remise et tu t'es consolée avec lui, dit-il en pointant le doigt sur Errence.

Il marque une pause et tasse sa pipe :

— Y va guérir, ton bonhomme. T'inquiète pas.

— Tu peux le sentir ?

— Il s'est occupé de la fille, hein ? Vous allez pas rester longtemps, mes enfants. Ça non. Faudrait se laver. Là-haut, Les Proues vont vous sentir et ça va pas traîner. Tire-toi, ma belle. Tire-toi avant qu'elles vous reniflent le cul et vous envoient les loups.

Lilas se crispe. Les loups de mer sont redoutés autant que la sentence des Proues. Avec Frêne, elle avait tremblé en leur présence, un soir de beuverie et de défis idiots. Flanqué d'un golem de sel, précédé par une odeur forte et poivrée, le capitaine s'était contenté d'un soupir pour ramener le calme. Un soupir qui avait traversé la salle comme une tempête de sable. Un souffle abrasif qui avait donné à chacun la sensation d'être *fouetté* de l'intérieur. Elle avait détesté cela et, plus encore, l'expression impassible du loup de mer. Vexée, elle avait voulu le provoquer malgré un avertissement étouffé de son époux. Le capitaine s'était légèrement décalé dans sa direction. Il donnait l'impression de se déplacer dans un liquide invisible ou d'agir au ralenti comme si le temps se contractait autour de lui. Le golem, masse blanche et sableuse, s'était ébroué dans un nuage de sel. Un nuage paresseux, comme une poussière de craie, qu'il avait saisi dans la main avant de le souffler dans sa direction. Elle avait trébuché en arrière, le cœur à vif. Le sel l'avait traversée, le sel s'était enfoncé dans sa poitrine pour frapper sa fée. Une rafale courte et

201

sèche, comme une gifle. Médusée, elle avait voulu saisir son arme. Frêne l'en avait dissuadée d'une main ferme.

L'elfe l'observe avec un vague sourire.

— Tu penses trop, ma belle… tu penses, tu penses et il ne se passe rien.

— Laisse tomber. Je vais aller voir ailleurs.

L'elfe croise les jambes et dévoile des cuisses glabres.

— J'ai pas dit qu'tu pouvais pas monter. Vingt deniers.

— Je t'en donne dix.

— Tant pis, dit-il.

Sa voix traînante fait hésiter Lilas. Une étrange nostalgie la pousse vers ce type. Besoin diffus de marcher sur les traces de Frêne, de leur amour. Elle lâche la somme exigée. L'elfe glousse, rajuste sa chemise et abandonne son tabouret.

— Accrochez-vous, la bête est capricieuse.

L'elfe extirpe un vieux chiffon et commence à lustrer un pommeau avec application.

— Tout est dans le geste, dit-il avec un clin d'œil mutin. Faut que le cuivre chante.

Le champ féerique s'altère. Un frisson secoue la plate-forme. Puis une secousse plus violente. Saule, renfrogné, jette un coup d'œil vers sa mère et s'accroche à un montant, un bras jeté sur l'épaule de Brune.

Syre passe d'un pommeau à l'autre et crache pour mieux les faire briller. Le monte-charge s'élève sur une dizaine de mètres, hissé par le souffle. Ses gestes tendres flattent la plate-forme comme un animal domestique.

Un dialogue complice, presque sensuel. Lilas détourne le regard.

Le monte-charge se fraie lentement un passage vers les hauteurs de l'arbre et s'engouffre dans un puits étroit délimité par des toiles tendues et rapiécées. Le soleil joue à travers les trous et larde l'intérieur de rais de lumière poussiéreux.

La plate-forme grince et tressaute, dépasse des paliers prolongés par des volées de marches et s'immobilise deux cents mètres plus haut devant une passerelle de fer.

Saule a empoigné un bout du brancard sans un mot.

— Soigne la fille, conclut l'elfe. Soigne-la avant qu'on vienne te chercher.

La passerelle s'étire sur le faîte d'un toit et devient, vingt mètres plus loin, un escalier pentu qui s'enroule autour d'une vieille tour de pierre.

Le Galeux surgit brutalement devant eux : un théâtre défraîchi fiché dans l'écorce comme la lame d'un bûcheron.

Un bâtiment sommaire de pierres blanches, vague rectangle coiffé d'ardoise et bardé de larges poutrelles de fer. La pluie a léché les façades et tracé des rigoles brunes qui rayent les murs. De simples planches de bois occultent les lucarnes. Au-dessus du théâtre, un vieux chêne aux branches nues saille de guingois. Ses feuilles ocre tapissent le sol jusqu'à l'entrée principale, un parvis encadré par une douzaine de statues de chiens enragés. Gueules ouvertes, bave aux lèvres.

— Sinistre, commente Saule.

Brune les devance et grimpe lentement les marches jusqu'à la porte à deux battants peints en rouge vif et barbouillés de signatures au fusain. Une tradition à laquelle Lilas et Frêne s'étaient pliés : leurs noms figurent en bas, à droite, tout juste identifiables entre mille autres.

Lilas et Saule rejoignent l'adolescente. Un battant s'entrouvre. Un garçon obèse, d'une vingtaine d'années, se dandine à travers l'ouverture et se plante devant eux, poings sur les hanches. Cheveux noirs et graisseux, visage porcin, le garçon affiche avec complaisance un ventre mou qui ballotte sous une chemise bariolée. Il porte une culotte bouffante, violette et fripée, glissée dans des bottes à talon.

— Galeux fermé. On ouvre avec la nuit.

Il se protège les yeux avec la main et pousse une plainte sourde.

— Saloperie de soleil. Trop bu, trop mangé. Il est trop tôt, beauté.

— Motte, c'est ça ? demanda Lilas. On vient pour la pension. Deux chambres.

Le dénommé Motte donne un coup de pied dans un tas de feuilles. Lilas préfère rester discrète. Si ses enfants sont arrivés, elle le saura.

— Dégueulasse. Pas le temps de ramasser toute cette merde. Tu m'aideras ?

— Tu as des chambres ?

— Je n'ai que ça, ma chérie. Des petites, des grandes. Des froides et des tièdes. Je les ouvre, je les ferme, dit-il en faisant tinter un gros trousseau de sifflets fixé à sa ceinture.

— Deux chambres, répète Lilas.

— Tu m'aideras, hein ? fait-il en faisant crisser une feuille sous sa botte.

Elle acquiesce. Il sourit avec une sincérité désarmante.

— Motte, c'est mon nom. Tu veux un Soupirain ? dit-il en montrant Errence.

— Non, je m'en occupe. Jesha est là ?

— Elle dort. Suivez-moi.

Le Galeux n'a pas changé. Pour atteindre le cœur de la bâtisse, il faut emprunter un couloir étroit aux peintures écaillées. Des portraits d'hommes et de femmes s'effritent à même la pierre. Une fille apparaît. Jeune, corpulente, le visage potelé et la peau diaphane, le corps engoncé dans une tunique de soie noire.

— Salut, dit-elle en s'éloignant dans un nuage parfumé.

— On est où, là ? grommelle Saule.

— À l'abri, répond sa mère.

Le théâtre se dévoile derrière un épais rideau de velours vert. Ce même décor qui l'avait enchantée tout au long de leur séjour lorsqu'elle rentrait, ivre morte, aux bras de Frêne. Des heures passées à écouter les clients flatter les prostituées du Galeux et se succéder sur la scène dans l'espoir de décrocher une passe à la hauteur de leur prestation.

Lilas sourit. Elle reconnaît, dans la fosse d'orchestre, les fauteuils dépareillés où se vautrent les reines du Galeux, elle se remémore les aubes bruyantes aux

205

balcons, un dernier verre à la main, au milieu des specta-
teurs hilares.

Leur guide emprunte un escalier qui mène au premier
balcon recomposé pour former une seule vaste coursive
côté scène.

— Vos chambres, fait Motte en désignant les portes
étroites qui donnent sur le flanc opposé de la coursive.

Il manipule son trousseau et porte un sifflet à sa
bouche. Lilas devine les infrasons qui se propagent dans
les champs féeriques. Trois portes s'entrouvrent.

Il répète l'opération et pointe le doigt au-dessus de
lui.

— Chambres au deuxième balcon. Tes enfants sont
là. Tu es surprise ?

Il se penche et renifle :

— Vous avez la même odeur. Un truc en commun,
une signature. Je l'aime bien. Je vais me recoucher.
Besoin d'un truc ? Tu siffles. Besoin de rien ? Tu
reprends ton souffle. Choisis ! Mais choisis bien, l'arbre
entend tout.

14

« Le champ féerique goûte instinctivement à la promesse d'un nouveau-né, aux
potentialités d'un souffle en devenir. En
consacrant sa venue, ils lui ouvrent les
portes du monde. Ma conviction est que
les champs féeriques sont naïfs ou
candides et qu'un jour, nous allons le
regretter. »

POCTOGUONE,
Déterminismes féeriques

Une chambre du Galeux.

Des murs lambrissés et lézardés, une fenêtre condamnée. Le lit, en bois sombre, presque trop grand pour la pièce, ressemble à un navire échoué. Des rideaux de velours rouge encadrent une fenêtre étroite, aux vitres colorées, de teintes vertes et jaunes. La pièce transpire les baisers échangés. Lilas les devine en bruit de fond, chapelet sonore de halètements relâchés, de soupirs retenus ou ardents. Il y a ici la trace des amours volées, des langues liées, des lèvres offertes. Lilas réprime un frisson. Rémanence érotique et sincère. Elle sait que les baisers du Galeux appartiennent à l'Axile, à la liberté promise sous le regard des Proues.

Iris se tient dans un coin d'ombre.

Sa fille.

Farouche, indépendante et fidèle à ses instincts, petit animal sauvage capable de tuer et d'aimer avec la même intensité, une femme impulsive en somme, incapable de filtrer ses émotions. Lilas n'a jamais eu le courage de la raisonner ou de lui enseigner une forme de tempérance qui la protégerait. Iris existe parce qu'elle n'obéit qu'à elle-même. Elle porte une tunique courte couleur turquoise. Ses cheveux bruns, coupés court, forment un massif dentelé et chaotique, un buisson embrasé par la nuit.

Iris a toujours appartenu à la lune, veilleuse infatigable, dormant le jour et cherchant, dès le coucher du soleil, des réponses furtives à ses pulsions. Elle voyage comme elle consomme ses amants. Pour ne pas s'ancrer, pour repousser cet atavisme viscéral qui renvoie les nains à une cause commune. Iris a toujours cherché à se singulariser, à dénoncer le jeu des apparences, à fuir les hommes qui voulaient l'enfermer dans un rôle. Lilas n'a jamais su si elle cherchait sa ligne de fuite ou si, consciente de son souffle, elle cherchait à en éprouver les limites.

Elle a maigri, encore. La large ceinture qui fait bouffer sa tunique dévoile des cuisses fermes, des mollets aguerris par la marche. Elle porte des bottes usées, poussiéreuses. Lilas lui trouve le visage creusé. Ses lèvres se sont effilées, les cernes sous ses yeux se sont accentués. Ses yeux, en revanche, ont gardé leur éclat. Un bleu marin, profond, couleur de la haute mer.

— Je suis heureuse de te voir, dit-elle.

Lilas a perçu la vague hostilité qui émane de sa fille. Un souffle irrité qui la retient sur le seuil de la pièce.

— Tu es là depuis longtemps ? ajoute-t-elle.

— Deux jours.

— Tu étais loin ?

— Non.

— Tu devrais te reposer. Tu as l'air fatigué.

— J'ai baisé toute la nuit.

— Tu n'as pas besoin d'être vulgaire.

— Je n'ai pas couché avec ce type, Mamila, dit-elle. Je l'ai baisé. Un truc simple.

Elle attrape un pichet posé sur un plateau et boit au goulot. Un filet de vin coule sur son menton.

— Tu devrais faire comme moi, d'ailleurs, fait-elle en s'essuyant la bouche avec son poignet. Ça te ferait du bien.

Mamila… Le surnom choisi par sa fille la renvoie à un passé révolu. À Frêne entraînant sa fille dans les ruelles de Médiane pour lui enseigner les rudiments du combat jusqu'à ces petits déjeuners plantureux partagés à leur retour, dans la lumière de l'aube. La complicité entre Frêne et sa fille n'avait jamais autant d'intensité que ces matins-là, dans le récit qu'ils en faisaient entre deux bouchées des énormes tartines que Lilas avait préparées. Des rires, des remontrances, appuyés de larges clins d'œil.

Elle sent une chaleur dans son ventre, une langue mélancolique lécher ses entrailles. Elle plisse les yeux, un peu émue.

— J'ai d'autres principes, lâche-t-elle.

— Comme abandonner papa ?

Lilas tressaille. La mère et la fille s'observent en silence. Iris, la première, détourne les yeux.

— Je n'avais pas le choix, dit Lilas. Je devais fuir.

— Oui, c'est ce que disait Errence. Son message était confus, mais j'ai eu peur. Vraiment peur.

— Tu es venue, c'est l'essentiel.

— Où est Errence ?

— Il a été blessé.

— Tu as laissé papa seul.

— Oui.

211

— Soline n'est pas restée avec lui ?

— Soline… est morte.

Le regard de sa fille se voile.

— Il va falloir que tu me racontes. Que tu me dises tout.

— Je ne te cache rien. Il faut que tu sois près de moi. J'ai besoin de toi. De vous, de la famille.

Iris s'approche et lui tend le pichet.

— Tu as soif ?

Lilas boit. Elle saisit une étincelle dans les yeux de sa fille. La tension se relâche dans la pièce.

— Viens, dit Lilas en ouvrant les bras.

Sa fille s'y glisse avec une volupté assumée. Elle se coule dans les bras de sa mère et soupire un long moment, le visage posé sur son sein.

— Tu m'as manqué, Mamila.

— Toi aussi.

Elles demeurent ainsi un moment, blotties et vivantes dans les bras l'une de l'autre. Lilas finit par desserrer doucement leur étreinte.

— Cèdre ?

— Il est arrivé cette nuit. Il dort encore.

— On devrait le réveiller.

— Tu veux prendre ce risque ? sourit-elle.

Chambre voisine. Plongée dans l'obscurité. Lilas marche jusqu'aux rideaux, les ouvre d'un geste sec. Iris ricane : Cèdre est vautré sur son lit, nu, un drap blanc entortillé autour des jambes. Il ronfle, les mains jointes sur le ventre. En dépit de son embonpoint, le corps dégage une force vitale. Les épaules sont larges, la poitrine massive. Lilas se porte à la hauteur du lit et effleure sa joue du bout des doigts.

Le cadet de la famille porte toujours une barbe fournie. Des poils noirs et drus qui lui dévorent la moitié du visage. Ses traits ont la même intensité que son corps. Lilas s'inquiétait souvent de le voir encaisser les coups sans broncher, de ne jamais se plaindre et de s'endurcir comme s'il avait quelque chose à prouver. Du granit. Cèdre a toujours évoqué, dans son esprit, l'image d'un granit aux porosités naturelles. Contrairement à Saule, celui-là est un garçon dévoué et silencieux.

Elle tire sur le drap, hérite d'un grognement, et le fait claquer au-dessus de son fils pour l'étendre. Nouveau grognement. Les paupières frémissent. Un œil s'entrouvre. Injecté de sang.

— Bougresses... murmure-t-il.

Les yeux s'ouvrent. Laqués, couleur noisette. Cèdre leur jette un bref coup d'œil, rajuste le drap et s'étire avec un feulement.

— Ça va ? demande-t-il d'une voix pâteuse.

Les deux femmes lui sourient.

— T'as une sale gueule, frérot, dit Iris.

— À cause de toi. Vous avez beuglé comme des ânes. Pas moyen de fermer l'œil.

— Je m'exprime.

Lilas toussote :

— Habille-toi, dit-elle. Je veux vous parler.

— J'espère bien, grommelle-t-il. J'ai dépensé une fortune pour venir.

Lilas se penche, le nez pincé par l'odeur d'alcool qui imprègne l'haleine de son fils.

— Embrasse-moi, fils indigne.

Cèdre s'exécute. Baiser sonore et sincère, main tiède glissée sur sa nuque. En retour, elle écarte les mèches folles sur son front avec une lenteur affectée.

— T'as besoin de te laver. De te couper les cheveux. Tu pues, fils.

La famille se retrouve au complet dans la chambre d'Iris. Saule a laissé Brune se reposer aux côtés d'Errence. L'elfe n'a pas repris connaissance. Mais Lilas est rassurée : sa respiration est régulière et ses joues ont rosi. Elle se doute que l'atmosphère qui imprègne l'Axile agit en profondeur. Sous l'influence des Proues et de leurs héritiers, les champs féeriques essorent les souffles blessés des voyageurs. Elle aussi est sensible à ce rafraîchissement discret qui apaise sa fée.

Saule est assis au bord du fauteuil, la tête dans les mains, les coudes en appui sur les cuisses.

— Raconte-nous, dit Cèdre. J'ai besoin de comprendre.

— Il a raison, renchérit Lilas. Personne ne va te juger. On est là pour t'entendre. Pour trouver une solution. Je te rappelle que la Haute Fée…

— Je sais, l'interrompt sèchement son fils. Crois-moi, je sais ce qui se passe. Vous êtes là pour moi. À cause de moi.

— Arrête de tortiller du cul, bougonne Iris. Lâche le morceau. Assume.

Saule lui jette un regard désemparé et hoche la tête lentement.

— Dans le sang… tout a commencé dans le sang.

Saule se souvient d'abord de son rêve, cette nuit-là.

D'une balle de cuir, aux coutures approximatives, qui lui échappe et roule de l'autre côté d'une large rue passante. Un garçon entre deux âges ramasse la balle, l'examine avec curiosité et finalement la lui rend. Brune surgit soudain devant lui, échevelée, les joues rouges, pour la réclamer. Il la lui donne, elle la prend et la lance. La balle roule un moment et bascule dans une ravine étroite où coule un ruisseau dont l'eau a la clarté d'un torrent. Il se précipite pour la récupérer, hésite à plonger dans l'eau et voit la balle dériver avec le courant. Deux femmes apparaissent. Deux humaines aux silhouettes déliées, nues, bras le long du corps, qui serpentent avec langueur dans le lit de la rivière. Il les interpelle, il crie pour qu'elles l'entendent. Elles ne réagissent pas. Pas tout de suite. La balle, elle, poursuit son chemin. Inaccessible.

Il s'élance dans une course éperdue jusqu'à ce que la rive s'incline et lui permette de rejoindre les deux femmes au bord de l'eau. L'une d'elles, la plus âgée, lui offre la balle avec une expression indéchiffrable et lui dit quelques mots d'une voix neutre. Comme un esprit de la nature énonçant une évidence. Il n'arrive pas à se rappeler les termes exacts, mais il saisit la teneur du message : la femme considère que la balle est perdue, qu'elle ne pourra plus jamais servir.

Est-ce à ce moment précis que le cri de Brune le ramène à la réalité ? Il ne sait plus très bien, mais il peut encore sentir la force déchirante du souffle qui traverse son corps juste avant que Brune pousse un gémissement strident, une plainte qui le pétrifie.

Le temps d'un soupir, il oscille devant la porte, le cœur saisi, puis il s'engouffre dans la pièce.

Brune est à genoux, sur son lit, comme si elle priait. Vêtue d'une large chemise de lin blanc, elle fixe le sang qui poisse le tissu, entre ses cuisses. Une chandelle grésille sur la table de la nuit et fait danser les ombres. Saule, un bref instant, pense à une tentative d'assassinat. Il dégaine son arme, embrasse la chambre d'un regard et cherche le coupable.

Une plainte franchit de nouveau les lèvres de la jeune fille. Saule vacille. Un coin givré s'enfonce dans son cœur avec une violence inouïe. Les yeux de Brune se posent sur lui. Il perd presque la sensation de son propre corps, comme si, sous ce regard où perce une infinie tristesse, il se désincarnait, il devait impérativement abandonner sa carcasse pour se fondre dans les pupilles de l'adolescente.

Il parvient à s'avancer vers elle, à franchir les trois mètres qui le séparent du lit. Une grimace tord le visage de Brune. Il ne la reconnaît plus et se sent prêt à offrir sa vie pour lui épargner cette expression désespérée qui déforme ses traits. Il s'écroule sur le bord du lit, se cramponne à l'épaisse couverture de laine pour ne pas s'effondrer sur le sol, hisse péniblement la moitié de son corps sur le lit et bascule sur le dos, souffle court et jambes dans le vide. Il sent un liquide tiède dans ses cheveux. Le sang de Brune. Qui continue de couler et d'inonder le matelas. Il veut crier, appeler des renforts, mais ses lèvres sont scellées. L'adolescente tend un doigt et le fait glisser sur sa joue. La pression qui enserre le cœur de Saule se relâche. Il veut lui saisir le poignet, s'assurer qu'elle est encore là, près de lui.

La scène devient limpide. Il devine qu'il peut la sauver. Qu'il lui suffit d'être là, près d'elle, qu'elle a eu besoin de son souffle à l'instant même où son corps, à elle, s'est révélé.

Les menstruations. Il a entendu sa sœur en parler et s'en réjouir comme d'une preuve manifeste de son animalité, d'une relation intime aux cycles du monde. Il a posé quelques questions sans vraiment écouter les réponses. Curiosité feinte, gêne inavouée devant une sœur qui, devenue femme, lui échappe.

Brune, soudain, s'écroule sur lui, en travers. Au prix d'un effort démesuré, il peut lever un bras et le refermer, comme une anse, autour des frêles épaules de l'adolescente.

Elle frémit contre lui. Il ouvre son cœur et sent qu'elle y pénètre avec douceur pour chercher son souffle et le saisir entre ses paumes jointes comme on s'abreuve à une fontaine. Il pleure, heureux de sentir qu'elle s'apaise. Heureux d'être là pour elle et de lui donner ce qu'elle cherchait pour vivre.

Il respire mal. Le souffle volé par Brune assèche la relation fragile qu'il entretient avec les champs féeriques. Un court moment, il croit qu'il va mourir, que son âme va se dissoudre en Brune et disparaître. Il découvre qu'elle se contente de goûter à son âme et qu'elle cherche à réfréner sa soif. Elle ne veut pas le blesser, elle ne veut surtout pas le terrasser. Elle veut juste s'enchaîner à lui et lui montrer qu'elle l'a choisi, lui, pour la sauver. Des larmes de joie noient ses yeux, un voile translucide qui brouille sa vision ou, peut-être, l'éclaire, comme si la réalité devait être ce décor flou et ondoyant et qu'il eût attendu jusqu'ici pour le comprendre.

Les cheveux de Brune sont tout près de son visage. Leur odeur l'enveloppe et adoucit la douleur du souffle qui se dérobe. Une douleur nécessaire, une douleur qui parle d'un don.

La fusion opère. Brune l'a reconnu comme son père.

Et il accepte de le devenir.

Rien, désormais, ne peut empêcher son souffle de se déployer comme de la vigne vierge autour du cœur de l'adolescente.

Autour de sa fée.

En est-ce vraiment une, là, sous la peau de Brune, dans sa gangue de chair et d'organes ? Elle existe, il peut en deviner les contours, mais elle est différente. Il ne sait pas encore pourquoi, il s'y refuse même, de peur de dévoiler un mystère qui n'appartient qu'à elle.

La conscience détachée, il prend la mesure de ces quatre âmes désormais indissociables. Les champs féeriques semblent presque les recouvrir comme un manteau. Il y a Brune, lui et leurs deux fées liées par le serment du souffle.

Il perd la notion du temps. Il faut les pâles rayons de l'aurore pour les séparer, pour qu'enfin Brune consente à s'arracher à son bras. L'esprit cotonneux, les lèvres sèches, il la distingue à peine et bascule sur le flanc pour la suivre du regard. Silhouette étirée par les larmes séchées, flammèche blanche et rouge qui marche jusqu'à la salle d'eau. Il soupire et entend l'eau clapoter lorsqu'elle pénètre dans le bassin.

Il se lève pour la rejoindre. Les muscles froissés et endoloris par le manque de souffle, il titube jusqu'à la voûte étroite qui sépare la chambre de ce grand bain en faïence où Brune procède d'ordinaire à ses ablutions en compagnie d'une servante.

L'eau lui arrive au menton, ses cheveux flottent en corolle autour de son cou. Paupières baissées, elle demeure figée. L'eau, autour d'elle, prend une couleur vermeille et accentue la lividité de son visage. Il peut la concevoir comme une vouivre, une gardienne de la source, et le rêve de la nuit lui revient brutalement en mémoire. Se peut-il qu'il l'ait vue, elle, à un âge avancé, lui rendre le symbole crevé de sa vie antérieure ? Cette balle figurait-elle son souffle désormais condamné à s'étioler pour sauver celui de sa fille ? Et qui était cette femme avec elle, dans l'eau ?

Il écarte les questions qui lézardent sa conscience. Il veut appartenir à l'instant, il veut appartenir à la présence infiniment fragile de sa fille immergée dans l'eau et le sang.

Un profond silence. Lilas le sonde du regard avec une intensité troublante. Debout près de la fenêtre, Iris se masse distraitement le menton avec un sourire attendri. Saule sursaute au contact de la main ferme de son frère venue se poser sur son épaule.

— On est là, frérot, dit-il d'une voix ferme. On est là.

— Tu n'as rien dit ? s'étonne Lilas. Tu n'as prévenu personne ?

— Non. J'ai nettoyé la chambre, je me suis arrangé pour que toutes les traces disparaissent.

— Explique-moi. Tu veillais sur Brune depuis combien de temps ? Je veux dire… votre histoire est née cette nuit-là ?

— Non, bien sûr que non. Il y a eu des prémisses, des regards, des gestes. J'ai été affecté à sa garde personnelle parce qu'elle se sentait bien avec moi. Qu'elle me faisait confiance. Je ne peux pas vous expliquer pourquoi. On était bien tous les deux, on n'avait pas besoin de mots pour se comprendre. On s'était *reconnus*.

— On dirait que tu parles d'une femme, lâche Lilas. J'espère que…

— Tais-toi, mère, la rabroue-t-il d'une voix sévère. Je t'en prie.

— Excuse-moi.

— Avant cette nuit-là, ajoute-t-il, j'aimais déjà veiller sur elle. Me dévouer à elle. Je sentais qu'elle était perdue, qu'elle cherchait quelque chose que personne, et surtout pas la Haute Fée, n'était en mesure de lui offrir. C'est une sensation enfouie, très profonde… Très intense.

— L'amour ?

220

— Oui, l'amour. Brune restait seule le plus souvent. On aimait partager des silences. Mère, tu te souviens de la terrasse des Cardinaux ?

— Elle a été condamnée il y a longtemps.

— Elle l'est toujours. Brune aime les étoiles. Cette terrasse était parfaite. Ignorée de tous, à l'écart. J'y conduisais régulièrement Brune, à la nuit tombée, juste après le souper. On s'asseyait au milieu des gravats et on observait le ciel. Son regard me suffisait. Je voyais bien qu'elle se reposait dans ces moments-là. Lorsqu'elle revenait de la cathédrale, elle était toujours extrêmement tendue et irritée.

— Tu sais ce que les Hautes Fées font aux enfants, ne sois pas naïf.

— Je ne le suis pas. J'accepte la réalité des cathédrales, j'accepte que les Hautes Fées se nourrissent des enfants pour préserver leur équilibre mental et assurer la… pérennité des Lignes-Vie. C'est une évidence. Un fait. Chez Brune, il y avait autre chose. J'ai vu des enfants prostrés, des enfants éteints. Ceux qui sont devenus des adorateurs. Ceux qui n'ont pas tenu… Chez Brune, il y avait une obstination. Une révolte. Le désir de comprendre.

— Comme nous…

— Je te parlais d'évidence. Elle veut voir au-delà.

— C'est une renégate, marmonne Iris. Elle veut juste… survivre.

— Non. Elle veut plus. Elle veut déchiffrer le monde.

— Pourquoi ?

— Parce qu'elle se sentait seule. Terriblement seule.

Regard de biais entre Lilas et sa fille. Cèdre croise les bras et se renfonce sur sa chaise.

— D'où vient-elle ? demande sa mère.

Saule a souvent tenté de le savoir. Brune dit qu'elle n'en garde aucun souvenir, mais Saule a du mal à la croire. Elle parle d'un cri comparable à celui d'un nouveau-né, poussé dans une ruelle sombre de Médiane, un soir d'été, quelques mois avant leur rencontre au palais. « Je suis née à ce moment-là », prétend-elle. Elle se décrit recroquevillée sous une porte cochère, le front posé contre la pierre, le corps nu et moite. Elle parle sans détours de ce prétendu réveil, de l'ivresse que lui procurent les sons de la ville, du plaisir qu'elle a à sentir la chaleur sur sa peau. Elle évoque avec un sourire, toujours le même, cette exaltation de se sentir ainsi sédimentée au contact du monde, d'en saisir les multiples épaisseurs comme si, grâce à son corps, elle s'était *enfoncée* dans la réalité. Saule ne comprend pas très bien, mais sourit aussi parce qu'il aime écouter sa voix.

« Et avant ? lui répète-t-il. Avant ? Tu dois bien avoir une image, un son, quelque chose ? » Elle lui assure que non, mais elle confesse des sensations : « J'avais froid. J'étais seule. Et je n'avais plus la force de me parler. »

Saule se figure qu'elle a été emprisonnée et choquée au point d'enfouir ce passé dans une fosse de son âme. Il espère que le temps fera son œuvre et lui permettra de creuser, de déterrer la vérité, mais il ne tient surtout pas à brusquer les choses. En liant son souffle au sien, en lui offrant chaque jour un peu de sa propre vie, un peu de son essence vitale, il souhaite secrètement que les barrières tombent et qu'elle puisse enfin se confier à lui tout entière.

— Et ensuite ?

Iris a posé la question d'une voix forte.

— Et ensuite, Saule ? poursuit-elle. Sérieusement… elle se réveille dans Médiane à poil, elle est amnésique. D'accord. Pourquoi pas. Et ensuite, bon sang ? Qu'est-ce qui fait qu'on la retrouve au palais pour servir la Haute Fée et que toi, tu acceptes d'offrir ton souffle à une renégate ? Vas-y, dis-le-moi !

— Du calme.

— Non. Ton histoire me fatigue. Il me faut du vécu. Des faits.

— Je t'en donne. Ce cri qu'elle a poussé ce soir-là a été perçu par la Haute Fée. Les Anonymes sont venus la chercher.

— Une renégate…

— Tu ne comprends pas. Elle ne l'était pas à ce moment-là. Son souffle, en revanche, était considéré comme un trésor. C'est cela qui lui a ouvert les portes du palais. Son souffle.

— Donc, ce sont ses premières règles qui font d'elle une renégate ?

— Oui.

— Tu as une explication ?

— Non.

Iris consulte sa mère d'un regard.

— Errence pourrait peut-être nous aider, dit Lilas. C'est lui qui a soigné Brune. Il faut qu'il soit là, avec nous. Cèdre, tu peux faire quelque chose ?

Elle est persuadée que son fils peut intervenir auprès de l'elfe. Elle n'a pas oublié la manière dont les champs féeriques ont réagi à sa naissance. Elle revoit l'expression de Frêne, la profonde sérénité de ses traits au moment où il saisit le nouveau-né entre ses jambes pour le déposer délicatement sur son ventre. Dans la pièce, le souffle du garçon s'épanouit. Un courant d'air franc et solide, comme un vent sec, un vent de printemps qui se fraye un passage au col d'une montagne. Le souffle se coule dans les champs féeriques. Ces derniers saluent la présence de Cèdre et s'écartent pour lui faire de la place. Dans la chambre, juste en face du lit, Lilas voit distinctement les pigments usés d'un tableau se raffermir, reprendre des couleurs et éclairer la toile d'un jour nouveau. Un paysage de mer peint par un voyageur déshérité en échange d'un repas chaud, des vagues lourdes et grises sous un ciel d'ardoise qui, soudain, semblent vouloir s'arracher à un cadre trop étroit pour déferler dans la pièce et s'échouer aux rives du lit. Aux rives du nouveau-né. À l'extérieur, sur le rebord de la fenêtre ouverte, une jacinthe fatiguée se redresse. Lilas pose une main ferme sur le dos de l'enfant et murmure :

— Ton souffle est juste.

Elle a eu raison. Au fil des années, Cèdre a toujours éduqué son souffle au contact des champs féeriques, comme un paysan complice des bienfaits de sa terre.

Cèdre regarde sa mère et fait crisser sa barbe.

— Tu veux que je force le passage ? Que j'aille chercher sa fée ?

— Tu fais ce que tu as à faire.

— Maintenant ?

— Oui.

— Vas-y, insiste sa sœur.

Cèdre obtempère de mauvaise grâce et se lève avec un visage crispé.

— Je suis un peu rouillé. Tu l'as installé où ?

— Dans ma chambre, à côté de la tienne.

— Je dois m'éclaircir les idées. Faites monter de l'eau fraîche. Et du linge propre.

Iris attend qu'il soit sorti de la pièce pour adresser la parole à sa mère :

— Tu prends des risques.

— Je n'ai plus le choix.

— J'imagine que le sacrifier, lui, ne te dérangerait même plus, lâche Saule d'une voix amère.

Lilas lui jette un regard glacé. Il hausse les épaules.

— J'ai le droit de savoir ? demande Iris.

— J'ai sacrifié Soline, répond sa mère. Pour nous sauver.

Iris ne répond pas.

— C'est… de ma faute aussi, dit son frère du bout des lèvres. Si je n'avais pas trouvé refuge au Sycomore…

— Épargne-nous tes remords, gronde Lilas. Le passé est gravé. Je te veux debout.

— Je vais chercher l'eau et le linge, marmonne Iris.

Saule et Lilas se retrouvent seuls.

— Il y a trop de mystère autour de Brune, dit Lilas. Beaucoup trop. Tu n'en parles pas. Tu fais comme si elle était juste une renégate…

— Laisse-lui du temps.

— On n'en a pas, bon sang ! On dirait que tu attends quelque chose, que tu te refuses à agir.

— Je ne t'ai pas attendue pour l'enlever et m'axer sur elle.

— Tu as obéi à ton instinct. À tes pulsions. Tu n'as pas réfléchi, tu n'a pas pesé les conséquences de tes actes. Tu n'es plus un enfant, tu dois t'impliquer au-delà de ce que tu ressens.

— Je ne renonce pas à mes sentiments. Je suis comme ça et je n'ai pas envie de me justifier. Mais je suis désolé, tu le sais.

— Je sais, dit-elle d'une voix radoucie. Je veux juste être certaine que tu es là, avec nous. Que tu vas te battre, et non te contenter d'attendre que ton souffle s'épuise. Parfois, j'ai l'impression que tu te complais dans cet amour… condamné.

— Je ne suis pas fataliste. Je ne veux pas mourir. Je veux la voir vieillir, je veux la protéger.

— Alors montre-le.

— D'accord, dit-il d'une voix lasse. D'accord, je te le promets.

— Tu as imaginé ce que peut devenir notre vie, maintenant ?

— Quelle vie ?

— La vôtre. Elle et toi. Nous, ta famille. Errence aussi. Tous ceux qui sont là pour toi.

— On peut rester ici.

— Non. Il faut qu'on disparaisse. Qu'on s'écarte des Lignes-Vie.

— J'avais pensé au Royaume affranchi…

Lilas se frotte le visage avec les mains. Elle a pensé à ces terres lointaines où les hommes cherchent une alternative au souffle. Elle a écouté, au Sycomore, les rares voyageurs évoquer des rivages déchiquetés et gris, des landes lissées par le vent, des forteresses noyées dans la brume. Elle sait que le souffle, là-bas, s'étouffe et se muselle dans des transes mystiques, que les cœurs se dessèchent et que les seigneurs punissent les émotions comme une maladie honteuse.

Tu n'y survivrais pas, pense-t-elle en regardant les plis soucieux sur le front de son fils. Un tel pays n'abrite que les âmes d'acier. Ta sensibilité te condamnerait à une mort rapide. Moi aussi d'ailleurs. Nous tous, en réalité. Aucun d'entre nous n'est capable de s'endurcir à ce point.

— Un mauvais rêve, finit-elle par dire. Tu ne serais même pas accepté. Tu as agi par amour, tâche de t'en souvenir.

— On pourrait essayer…

— Je veux avoir les mains libres. Vous savoir en sécurité et reprendre l'initiative.

— Sur qui ?

— La Haute Fée. Frêne et moi lui avons dévoué nos vies. Je veux qu'elle paye pour ce qu'elle t'a fait. Et ce qu'elle n'a pas fait pour moi.

— Tu veux t'attaquer à elle ? s'exclame-t-il avec un sourire interloqué. Tu ne peux rien contre elle.

— J'ai formé ceux qui la protègent. Je connais le palais, ses codes et ses usages. Je peux passer.

— Et ensuite ? Admettons, même si je n'y crois pas un instant, que tu parviennes à l'atteindre. Tu fais quoi ? Tu la grondes ?

— Je la tue.

— Tu tues la Haute Fée…

— Je vais à la source. C'est elle qui te veut. Si elle meurt, une autre la remplacera. Et celle-là m'écoutera, j'en suis sûre.

— Tu n'en sais rien, c'est insensé !

— Tu as mieux, Saule ? Tu as une solution pour faire en sorte que nous ne soyons pas tous exécutés comme de vulgaires fugitifs dans les jours ou les semaines à venir ?

Il veut parler, se mordille les lèvres et finalement secoue la tête.

— Repose-toi, je vais voir si Cèdre se débrouille.

— Tu me crois quand je te dis que je veux vivre ?

Elle essaie d'avoir un sourire engageant et y renonce.

— Je n'en sais rien. Ce n'est peut-être pas le plus important. Moi, je veux que tu vives.

15

« Dissocier l'Aquilon d'une cuirasse ou d'un heaume est une hérésie notoire. L'Aquilon assure la cohérence d'une armure sur un corps déterminé. L'Aquilon est une force régulatrice, une force motrice. Rien de plus ni de moins. »

ANONYME

Errence apparaît sur le seuil, soutenu par Cèdre. Lilas a soudain l'impression qu'une braise roule dans ses entrailles. Elle l'a aimé, elle s'en souvient maintenant. Le sentiment, trop longtemps enfoui, semble brutalement émerger du silence et des ombres. Elle le trouve terriblement amoindri. Son corps fragile flotte dans une tunique bien trop grande. Déboutonnée, l'échancrure révèle des os qui saillent comme des ratures sous un torse décharné. Ses cheveux blonds encadrent un visage presque transparent.

Il n'habite plus son corps, pense-t-elle spontanément. Il est ailleurs.

Elle réprime une grimace. Autour des crochets fixés à son orbite gauche, la peau a pris une vilaine teinte violacée comme la marque d'un coup de poing.

— Je vais bien, dit-il pour répondre à son regard.

Lilas se porte à sa rencontre et se glisse doucement contre lui. Elle l'étreint en silence, les bras noués autour de sa taille. Le moment est précieux. Tangible. Elle glisse une main sur ses fesses.

— Tu m'as manqué.

Il sourit de nouveau.

— Je dois m'asseoir.

— Viens, dit-elle en écartant Cèdre pour conduire l'elfe vers le fauteuil.

Saule le lui cède sans un mot. Errence s'y installe avec un long soupir. Elle s'accroupit à côté de lui, attrape sa main.

— Je suis contente que tu sois avec nous.

Il acquiesce d'un petit mouvement de la tête.

— J'ai besoin de mon… monocle, dit-il.

Lilas se mord la lèvre et réussit à lui sourire.

— D'accord, dit-elle. Bien sûr… je vais le chercher.

Seule dans sa chambre, Lilas fouille dans ses affaires à la recherche de l'écrin qui contient le précieux artefact de son amant et les larmes, brutalement, lui montent aux yeux. Elle les contient, mais elle sent qu'elles peuvent jaillir d'un instant à l'autre. Comme ces vagues du tableau qui veillèrent sur la naissance de Cèdre.

Elle vacille, une main refermée sur l'étoffe verte et rouge du foulard que Soline nouait autour de ses cheveux, et finit par se laisser choir sur le bord du lit. Elle ne veut pas s'effondrer, elle ne veut pas admettre qu'elle pourrait manquer de cette force palpable qui incarnait son couple du temps où Frêne partageait encore sa vie.

Elle se pince l'avant-bras avec férocité, se tapote les joues pour reprendre ses esprits. Sa conscience dérive vers sa fée.

Tu es là ?

Toujours.

J'ai besoin… de parler.

Je t'écoute.

Non… en fait, j'ai… j'ai juste besoin de savoir que tu es là.

Je suis là.

Elle triture le foulard, incapable de bouger.

Tu crois que j'ai eu tort ?

Tu veux parler, alors ?

Dis-le-moi.

Tort de condamner Soline ?

Oui.

Tu l'as tuée. Tu devras vivre avec ça. Mais tu as sauvé ton fils. Tu as sauvé Brune et Errence.

Lilas pleure. Des larmes silencieuses et libérées, des larmes qui la soulagent. Une voix lointaine, celle de sa fille, l'interpelle de l'étage inférieur.

— J'arrive ! crie-t-elle.

Elle essuie ses larmes, range l'écharpe et déniche sans mal l'écrin en ivoire qu'elle cherchait.

Il faut que j'y retourne.

Je sais. Je suis là, Lilas.

Errence, tête en arrière, paupières mi-closes, s'est tassé un peu plus dans son fauteuil. L'odeur sucrée de la drogue a envahi la chambre. Lilas a ravalé son commentaire en voyant l'elfe tourner le monocle de quatre crans. Elle n'a aucun droit sur lui. Elle n'en a jamais eu, malgré les apparences.

Iris se cure les ongles avec un poignard, assise à même le plancher, dos contre le mur, les jambes en tailleur et la tunique tirée entre ses cuisses. Cèdre l'a imitée dans l'angle opposé de la pièce, tandis que Saule, maussade, a pris place au bout du lit. Lilas, campée sur ses pieds, bras croisés, se tient debout à côté de lui.

— Il faut sauver Saule, dit-elle sans préambule.

— Non, dit son fils. Pas seulement moi.

— Tu as compris ce que je voulais dire.

— Mamila, intervient Iris, on peut rester ici, à l'Axile ?

— Surtout pas. On finira tôt ou tard par nous trouver.

— Les Proues n'ont jamais autorisé les Anonymes à débarquer, fait remarquer Cèdre.

— Je ne parle pas d'eux, mais des autres. Des mercenaires, de tous ceux que Médiane peut s'offrir pour nous débusquer.

— Pourquoi sommes-nous là, alors ? demande Iris.

— Pour respirer, pour réfléchir. Votre frère est condamné si nous ne faisons rien. Son souffle est axé sur Brune et va lentement décliner.

— C'est ce que j'ai choisi, affirme Saule. Je ne reviendrai pas là-dessus.

— Moi non plus, dit-elle. Et tu le sais. Ce que je veux, c'est que notre famille fasse front.

— Comment ? demande Cèdre.

Lilas se tourne vers Errence. Ce dernier dodeline de la tête, conscient de l'attention qu'on lui porte.

— Est-ce que tu as senti des choses quand tu as… pris le souffle de Brune avec Lorgue ?

L'elfe se trémousse vaguement dans son fauteuil.

— Trésor, je te parle, insiste Lilas.

Errence fronce les sourcils.

— Une profondeur… ânonne-t-il.

— Sois plus précis.

— De l'amour, aussi. Un immense amour.

Iris soupire ostensiblement. Lilas lui fait signe de ne pas insister.

— Pour Saule ?

— Pour nous tous. Pour le monde.

Iris lève les yeux au plafond. Lilas se penche sur Errence, les deux mains en appui sur les accoudoirs.

— Concentre-toi, dit-elle en claquant les doigts devant son visage.

Il grogne, s'humecte les lèvres.

— Elle a besoin des souffles par amour, murmure-t-il. Ce n'est pas la faim qui la guide.

Lilas fronce les sourcils.

— Ça change quoi ? dit-elle sans pouvoir masquer son impatience.

— Tout. Ça change… tout. Une renégate ne cherche pas des âmes. Une renégate cherche un combustible pour nourrir son organisme. Comme de l'eau. Le souffle devient une nécessité vitale, une obsession.

— Et Brune ?

— Elle se sent seule.

Lilas se redresse, les poings serrés, avec l'envie de le secouer, de lui arracher des réponses concrètes.

— Saule dit qu'elle est devenue une renégate en ayant ses règles. Cela fait sens pour toi ?

— Non… je ne crois pas. On naît renégate. On naît avec un souffle incomplet, un souffle désaxé. On ne *devient* pas une renégate. Mais il peut y avoir des exceptions… il y en a toujours eu. Le sang a pu jouer un rôle symbolique, le rôle d'un déclencheur pour elle et pour sa fée. Nos fées commandent au sang, ne l'oublie pas. Si les règles de Brune ont provoqué un épanchement, elles ont pu aussi provoquer l'éveil de sa fée. Je veux dire, un éveil inattendu. Brutal.

Errence se tourne sur le côté et replie les pieds sous ses fesses.

— Tu restes avec moi, grommelle Lilas en lui assénant une claque sur l'épaule.

— Je… je t'écoute.

— Il est loin, Mamila, dit Iris d'une voix blasée.

— Tais-toi. S'il te plaît.

Iris lève les mains en signe de reddition, la mine renfrognée. Lilas voit bien, pourtant, qu'elle a raison. La conscience de l'elfe dérive dans les opiacés libérés par le monocle. Elle répugne à brusquer ainsi les choses. Elle sait qu'il a laissé bien plus que quelques souvenirs au Sycomore. Pour échapper aux Anonymes, il a sacrifié des pans entiers de son passé.

— Saule. L'encrier, sur la table. Apporte-le.

Son fils s'exécute. Lilas trempe la plume et la glisse dans une main d'Errence. L'elfe veut résister. Elle l'oblige à refermer les doigts sur la plume et lui présente un carnet de vélin.

— Écris, amour. Écris.

Elle recule de deux pas. L'elfe se penche sur la plume, la fait tourner entre ses doigts. Lilas est la seule à noter l'envie qui tend ses muscles et rehausse le coin de ses lèvres. Il suspend son geste au-dessus de la feuille et trace soudain un trait rageur. Puis un autre.

Une perspective.

Deux traits qui se rejoignent au sommet de la feuille Une manière de s'approprier l'espace, de s'y engouffrer. Il commence à griffonner. Des mots tassés, dans l'angle le plus resserré. Des mots puis des phrases. Tout juste déchiffrables. Il est en transe. Il est transfiguré.

— Saule, lis, s'il te plaît.

Son fils, perplexe, l'interroge du regard.

— Lis, répète-t-elle.

Saule se glisse près du fauteuil de manière à pouvoir lire par-dessus l'épaule d'Errence.

« Soif d'amour. Une toile de fond, un décor : l'amour. Pourquoi ? Pour nous ? Elle doute de tout. J'ai entrevu l'âme. Esseulée, brisée. Un crucifix : sa solitude. Pourquoi ? La prison des justes ? Elle a été emprisonnée. Elle a choisi ses barreaux. Elle pleure sur les âmes sœurs. Des étincelles de vie. Elle veut la vie. Elle ne veut plus faire, elle ne veut plus créer. Elle veut vivre. Partager, découvrir. Elle s'est éteinte. Elle s'est tassée. Elle a cru pouvoir tenir. L'isolement l'étiole. Elle écoute les palpitations de la terre. Pour se rassurer. Une berceuse ? Possible. Ou les vibrations d'une renaissance ? Elle pleure. Beaucoup. Elle nous infuse. Nous nourrit. Sans elle, fin du monde ? Fin *des* mondes ? Concentre-toi. Souviens-toi. Tu es là, dans le Sycomore. Tu plonges en elle. L'amour, toujours. Son père comme un barrage ? Il y a autre chose. Quoi ? Saule comme une clé ? Une réponse ? Saule nous préserve. Saule est une digue. Elle le sait. Je le sais. Leurs souffles partagés comme un sursis. Un SURSIS ! Avant quoi ? Pas de fin. Un changement, une alternative. « Recommencement ? Réenchantement ? Elle veut nous comparer ? Oui. Cela existe quelque part. Elle nous compare, mais à qui ? À des vibrations ? Je ne comprends pas. Je vois des espaces creux. Des distances. Des étoiles ? Trop flou, trop confus. Tu dois répondre à Lilas. Lilas. Lilas. Lilas. Mon axe, ma fleur. Je la perds. Je l'aime ? Je crois. Tu crois ? Réponds : tu l'aimes ? Je ne SAIS pas. Je ne sais rien. Pas le moment. Brune et Saule. Les sauver. Comment ? Fusion ? L'Ancrage pour couper le lien ? Non. Si elle meurt, Saule meurt. S'il meurt ? Elle en trouvera un autre. En a-t-elle envie ? Pas sûr. Elle l'a choisi, lui. Non, elle le choisit parce qu'il est attentif. Parce qu'il la voit. Parce qu'il la dépouille de son armure. Il regarde son âme. Il la voit. Sans détour, sans MASQUE. Elle aime son regard. Noblesse du cœur ? Non. Deux âmes reconnaissantes. Deux âmes reconnues. Brune et Saule. Un nain et une humaine. Un père et sa fille. Une renégate. Médiane la veut. Médiane nous cherche. Il faut se cacher. Le temps que Brune fasse son choix. Choix ? Oui. Elle doit faire un choix, mais je ne sais pas lequel.

« Brune est trop vaste. Soif d'amour trop puissante. Saule doit assumer. Aller jusqu'au bout. Il l'a dépouillée de son armure, alors… Alors ? il doit devenir son armure. Oui, son armure. Se fondre autour d'elle, pour elle. Devenir un Aquilon. Un métal incarné, une âme lissée pour la protéger. Saule va disparaître. Oui. Sa conscience sera dans le fer. Dans les courants qui animent les pièces de l'armure. Dans les impulsions d'un gardien. Un GARDIEN. Saule est son armure. Saule est son gardien. »

Errence a lâché la plume dans un soupir. Ses paupières alourdies se ferment. Sa tête roule sur son épaule.

— Il… s'est endormi, dit Saule en reposant délicatement la plume dans l'encrier.

238

— Laisse-le tranquille, ordonne Lilas.

— Mamila ?

Iris a refermé les bras autour de ses mollets, menton posé sur les genoux, visage las. Lilas réfléchit. Dans le délire d'Errence, elle croit déceler une direction.

Une chandelle s'éteint dans un grésillement. Cèdre la rallume.

— Un Aquilon… dit Saule.

Le mot grince à l'oreille de sa mère. Elle refuse d'admettre que la seule solution soit de condamner son fils à se fondre dans une armure. Elle songe à la sienne, au collier zéphirin. Deux façons d'orchestrer les âmes gardiennes. L'Aquilon, lui, est un liant, une articulation. Elle réprime un frisson. Elle n'imagine pas Saule loin de son corps, réduit au silence. Une mère ne peut pas accepter que son propre fils devienne un souffle qui anime une armure.

C'est son choix. Pas le tien. Tu dois l'entendre.

Elle vient contre lui et entoure son visage pour le poser sur son ventre. Il se laisse faire. Elle lui caresse les cheveux.

— Il doit y avoir une autre solution, dit-il.

— Oui. Certainement. Tu ne dois pas avoir peur.

Un bref instant, il cherche à se dégager. Elle le maintient contre elle. Il renonce à se dérober.

— Reste là. Je ne sais pas ce qui va se passer, mais on va trouver une solution.

— Si Errence dit vrai, si je dois devenir un Aquilon… je suis prêt, tu sais.

— Je sais. Mais il a dit beaucoup de choses. Il a parlé d'elle. De toi, de vous. Tu as axé ton souffle à une renégate. Tu as choisi de mourir pour elle. Est-ce que tu en avais vraiment conscience ? Tu as voulu répondre à son besoin d'amour. Tu n'as pas pu refuser. Tu as fléchi, tu as cédé.

Il lui écarte les mains avec douceur et lève les yeux sur elle.

— Son âme. Je dois veiller sur elle. Elle existe. Elle est ce que j'ai contemplé de plus beau et je veux la rendre heureuse. La rendre heureuse, tu comprends ?

Lilas sourit.

— Je sais. Tu es brave, Saule. Tu n'es pas très futé, mais tu es brave.

Il parvient lui aussi à sourire. La peur qui émane de son souffle lui empoigne le cœur. Elle voudrait lui communiquer sa chaleur, ses espoirs, mais elle le sent inaccessible, prisonnier d'un sentiment qui les dépasse, elle et lui.

Tu n'as pas le droit de le retenir. Tu dois le laisser partir, bien sûr. Tu l'as élevé pour qu'il s'affirme, pour voir sa singularité exploser à la gueule du monde. Respecte-le. N'entrave pas son choix. N'entrave pas sa peur. Il doit la combattre seul.

Elle s'écarte dans un frôlement.

— Errence doit voir Brune, dit-elle. Aller plus loin. Creuser encore.

Elle rafle la feuille couverte d'une écriture serrée. Les mots sont encadrés par la perspective des deux lignes droites qui convergent vers le point de fuite. Un texte pyramidal et décousu. Énigmatique et mystique. Trop, pour elle. Elle doit attendre que l'elfe émerge de ses rêveries pour l'interroger, pour déchiffrer son texte.

— Je vais être un peu prosaïque, dit soudain Cèdre. Qu'est-ce qui va se passer dans les heures qui viennent ? Rien n'a changé : Médiane veut Brune. On fait quoi, concrètement, pour échapper à une Haute Fée ?

— Errence a parlé d'un sursis, intervient Iris. Et il a dit que Brune devait faire… un choix.

Le regard de Lilas se durcit :

— Hors de question que je soumette la famille aux caprices de Brune.

— Mère… dit Saule. Elle a seize ans. Elle aurait dû être là.

— C'est une adolescente, rétorque Lilas. Une désaxée, une renégate.

— Tu l'as assez dit…

— Ça suffit. Vous restez ici. Moi, je vais parler à Jesha.

— De quoi ? demande Saule.

— De la manière dont tu pourrais devenir un Aquilon.

16

« Cette dame ne vous touchera pas, monsieur. Son rôle consiste à honorer votre corps à la seule pointe du souffle. Vous ne la toucherez pas non plus mais vous êtes libre de vos fluides à condition qu'elle n'y soit pas exposée. Notre établissement a une réputation à tenir. »

Dame DORIENTHE, maquerelle

La grande salle du Galeux s'anime avec la nuit. Des torches fixées aux piliers des arcades éclairent les tables et les convives d'une lumière joyeuse. Les filles déambulent, parlent et boivent autour des tables disposées face à la scène. Lilas veut un plaisir léger, un oubli dans le spectacle de ce ballet hétéroclite et baroque. Elle reconnaît la jeune femme entrevue à son arrivée. Elle boit seule et devine qu'on l'observe. Regard fugace, presque tendre.

Jesha frappe sur la table. Un coup sec du plat de la main.

— Tu rêves, ma belle.

Lilas reporte son attention sur la maîtresse du Galeux. Tragédienne à la beauté glacée, femme au long cou.

Un cygne, pense Lilas. Un cygne noir aux plumes d'acier.

Moulée dans une tunique de soie sombre, Jesha est penchée vers elle, coudes posés sur la table et mains croisées devant le visage. Nez fin, yeux clairs soulignés de cils épars et gracieux, fils de soie en suspension. La bouche, couleur de miel, affleure comme un pli de velours. Jesha n'a pas de poitrine, ou presque. Un renflement esquissé, comme une invitation.

Elle me trouble. J'aime être près d'elle. Dans son souffle. Jesha est vivante et sensuelle.

Jesha fait trembler la table de nouveau.

— Tu viens me chercher et tu ne dis rien ?

Lilas sourit et joue avec son verre.

— J'ai pas très envie de parler, en fait.

— Tu veux que je parle de moi ?

— De ce que tu veux.

Jesha montre la salle de la main :

— Toutes ces filles, elles sont en moi. Je les materne, je les enrobe. Maintenant, j'ai besoin qu'on m'enrobe, moi. Je suis fatiguée. J'ai besoin de partir. Tout ce bruit, toute cette comédie. Elle m'a habitée un moment. À présent, elle ne me suffit plus. Je veux une plénitude. Un lieu calme, un lieu de vent.

Jesha trempe ses lèvres, passe la langue entre ses dents.

— Il faut que je parte avant qu'il ne soit trop tard. Avant que je sois enchaînée aux filles, qu'elles ferment mon horizon.

— Tu as besoin d'être une autre ?

— D'être un peu moi. D'être vraie. Tu sais ce qui se passe ici, ma belle ? J'ai des hommes déçus. Tous les jours, je les vois ici sans masque. Prêts à tout pour la bouche d'une des filles. J'aimerais être comme eux, en quête d'un oubli.

— Je ne peux pas t'imaginer seule.

— Je veux être dans ma vie. Dans ma peau. Je dors depuis trop longtemps. Je veux me réveiller, je veux me sentir.

— J'ai toujours pensé que tu l'étais déjà. Je veux dire, que tu étais… réveillée. Tu n'as personne ?

— Un type, mais il est déjà pris. Je vais essayer de l'enlever, je crois. Pour son bien.

— C'est ce qu'il veut ?

— Peut-être. En fait, je m'en fous.

Lilas l'observe du coin de l'œil. Elle aimerait se lover contre elle.

— Tu as envie de moi ? demande Jesha.

— Non.

— Ne mens pas.

— Un peu.

— Tu n'as jamais couché avec une femme. Ce n'est pas pour toi.

Lilas lève un sourcil curieux.

— Qu'est-ce qui te fait dire ça ?

— Ta violence.

Lilas avale son verre. Une liqueur forte. La chaleur irradie sa poitrine.

— En quoi c'est… incompatible ?

— Tu as besoin qu'on te complète. Je t'ai vue avec Frêne. Tu as besoin d'une différence. D'un corps qui ne te ressemble pas. D'un mec, quoi.

— Peut-être. Errence n'est pas comme ça.

— Je m'en doute. Il n'est pas pour toi.

Lilas se ferme et attrape la bouteille pour boire au goulot.

— Tu ne le connais pas.

— Je *te* connais, dit-elle. Le sexe t'offre un moyen d'habiter ton corps. Et pour l'habiter, tu dois le défier. C'est ta violence, dit-elle en lui arrachant la bouteille. Je ne sais pas pourquoi je te raconte ça.

Elle rit.

— J'ai besoin de limpidité, dit Lilas.

— Le sexe est limpide, c'est peut-être pour cela que je t'en parle.

— Ce n'est pas très important pour moi. Tu vois, je trouve que c'est bien, c'est… agréable, mais ce n'est pas très…

Elle hésite. Sur la scène, un homme élégant fait son entrée sous les huées et les cris de l'assemblée.

— Très quoi ? demande Jesha.

— Très utile.

— Utile ! Tu voudrais que le sexe soit utile ? Tiens, bois. Il vaut mieux que tu te taises. Utile… répète-t-elle en tournant sa chaise vers la scène. T'es paumée, ma douce.

Lilas retarde le moment où il faudra parler sérieusement, le moment où il faudra revenir à l'essentiel. Elle apprécie cet instant et elle voudrait qu'il dure. Elle détaille le profil de Jesha. L'arête de son nez est un récif.

J'aimerais être ta naufrageuse, se dit-elle.

Elle reprend la bouteille. Elle devient sentimentale. Un luxe, vu les circonstances. Rasade longue, douloureuse, pour que le feu balaye ses doutes.

Sur la scène, l'homme se débat avec ses mots. Un type ridicule, cintré dans un costume vert pomme. Une gestuelle empruntée, trop théâtrale.

— … Et, au son lointain de vos dents, j'aimerais être l'ivoire d'un sourire. Oh, madame, puissent les rayons de l'aube fricoter avec votre peau pour…

La suite se perd dans les protestations du public. Une fille, joues empourprées par l'excitation, dos cambré et

248

mains sur les hanches, le siffle avant de jeter une poignée d'épluchures dans sa direction.

— Jesha ? J'ai besoin de toi.

La maîtresse du Galeux ne répond pas, l'attention fixée sur l'homme qui bat en retraite vers les coulisses.

— Encore un pantin. Un pauvre mime… dit-elle. Tu disais quoi ?

— Que j'ai besoin de toi.

— Tu es en sécurité ici. On a le temps.

— Non. Je ne suis pas en sécurité. Ni toi, d'ailleurs. Je ne vais pas rester longtemps, je te fais prendre des risques en me cachant ici.

Jesha se rembrunit :

— Motte a tendu l'oreille. Des bruits circulent dans les racines de l'arbre.

— Sur moi ?

— Non. Sur une polyphone dénommée Scadre qui aurait débarqué deux nains, un elfe sur une civière et une jeune humaine. Tu veux en parler ?

— Moins tu en sais, mieux ce sera.

— Comme tu veux. Tu as besoin de quoi ?

— De quelqu'un capable de reprendre un souffle.

— Tu veux te transformer ?

— Pas moi. Mon fils.

— Sois plus précise, ma douce. Si je veux trouver la bonne personne, j'ai besoin de plus.

— Ici, je ne connais personne… À part toi.

— Ton fils sait ce qui l'attend ?

— Pas sûr. Comme moi, il sait qu'on peut… changer son souffle.

— L'Axile est un laboratoire. Un grand bouillon d'expériences inédites, ratées. Et sublimes aussi. J'ai vu des âmes renaître. Des souffles dans l'impasse qui ont pu se renouveler. Se réinventer. C'est bien cela qu'il veut ?

— Pas seulement. Il devra peut-être aller plus loin. Devenir un Aquilon.

Jesha se lisse la commissure des lèvres :

— Fais attention, Lilas. Il va marcher au bord de l'abîme.

— Tu ne veux pas savoir pourquoi ?

— Non, c'est ton affaire. Si tu as envie de m'en parler, fais-le. Sinon, tais-toi. Je suis ton amie, je t'aide. Le reste ne m'intéresse pas.

— Merci.

— Ils sont rares, tu sais, ceux qui veulent devenir Aquilon de leur plein gré. C'est un renoncement, je veux être sûre qu'il en a bien conscience. On devient un fluide. Une rafale de vent qui commande une armure et se dévoue à son porteur.

— Je crois… qu'il en a conscience. Il veut protéger sa fille.

Jesha plisse les yeux.

— Tu es grand-mère ?

— Il s'est axé sur elle.

— D'accord. Il faudrait que je parle avec lui, tu ne crois pas ?

— Plus tard. Je veux savoir si c'est possible.

— Tout est possible à l'Axile pour peu que tu y mettes le prix. Et le temps. J'imagine que pour faire une armure d'Aquilon, il faut des semaines, des mois même.

Je vais poser des questions cette nuit si tu veux. Je pense à deux ou trois personnes en particulier… elles sauront me renseigner.

— Je n'ai que quelques jours. Quelques heures même…

— Dans ce cas, oublie l'Aquilon. C'est impossible, fait-elle en hochant la tête. Impossible.

Un gaillard aux épaules couvertes d'une cape de feutre noir s'avance sur la scène et salue. Lilas le remarque à peine, mais Jesha, elle, le fixe avec intensité.

— Je trouverai l'argent, dit Lilas. D'une manière ou d'une autre.

Jesha ne l'écoute plus, l'attention focalisée sur l'homme qui déclame d'une voix sourde un poème inaudible dans le vacarme du Galeux.

Le nez de Jesha se fronce, une veine frémit à son cou.

— Ce poème… une saloperie de leurre, dit-elle.

Lilas toise l'homme qui évolue devant les filles. Elle ne l'a jamais vu.

Elle s'adresse à sa fée :

Tu sens quelque chose ?

Non.

Tu es sûre ?

Je t'aurais prévenue.

Lilas note un changement subtil dans la masse fiévreuse des filles et des clients mélangés devant la scène. Un flottement imperceptible. Trois femmes fendent les rangs de la foule pour se diriger vers les coulisses.

— Viens avec moi, dit Jesha d'une voix glacée.

251

Lilas lui emboîte le pas. Elles franchissent une porte étroite et s'engouffrent dans un couloir sombre. Un homme et une femme s'embrassent rageusement contre un mur. Une nouvelle porte débouche dans une large salle ronde découpée en loges de fortune par de vieux paravents. Les candidats du Galeux qui s'apprêtent à passer sur scène y répètent dans une cacophonie grinçante. Lilas s'étonne de les voir si nombreux et doit batailler pour suivre le pas souple et déterminé de Jesha.

— Pas de vague, dit-elle en entraînant Lilas derrière le rideau rouge qui mène à la scène. On le conduit à l'écart et on voit ce qu'il veut.

— Tu crois qu'il est là pour moi ?

— Il sondait les consciences. Il cherchait des traces d'une jeune humaine.

Lilas risque un œil pour apercevoir l'individu en question. Des épluchures ont collé sur le surcot qu'il porte sous sa cape. Malgré l'hostilité du public, il s'obstine et campe solidement sur ses pieds.

— Je n'ai pas d'arme, dit-elle.

— Inutile. Celui-là est un simple traqueur.

— Je dois prévenir les autres. Il faut qu'on parte.

Jesha la retient par la manche :

— Non. Il n'a rien trouvé, ne t'inquiète pas. Le Galeux, je l'ai dans ma chair. Je sens tout. Le souffle de ce type ne vaut rien. Un vulgaire traqueur. Il doit y en avoir des dizaines comme lui à chercher cette fille. Je veux savoir qui l'envoie. Tu es avec moi ?

Lilas acquiesce en silence.

Le candidat malheureux se replie, sourire contrit et vêtements souillés. Jesha le laisse s'approcher et lui saisit la main au moment où il passe à sa hauteur.

— Pas d'histoire, souffle-t-elle à son oreille. Tu me suis.

L'inconnu pâlit et tente de reculer. Il heurte Lilas et grimace sous la torsion violente que Jesha lui inflige au poignet. Elle le pousse devant elle et le conduit dans une arrière-salle, une réserve où s'entassent des meubles poussiéreux mis au rebut.

L'homme se masse le poignet face aux deux femmes.

— Méprise, mesdames. Je faisais juste une petite recherche. Rien de méchant.

La gifle le cueille brutalement et le déporte contre une armoire branlante. Il crie, la joue marquée. Une bague a creusé une profonde estafilade. Des gouttes perlent sur le col de sa cape.

— Tu es chez moi, petit. Les fouines ne sont pas les bienvenues. Qui t'envoie ?

— On va en rester là, non ? Je m'efface et on n'en parle plus. Je m'excuse, voilà.

Jesha le frappe au plexus. Un coup vif. Il se plie en deux, crache et s'affaisse contre l'armoire.

— Salope…

— J'ai tout mon temps, chéri. Et j'ai des copines qui rêvent de se défouler. Jusqu'ici, je reste aimable, je ne touche pas à ton souffle. Qui est profondément médiocre, soit dit en passant. Qui t'envoie ?

Il les regarde toutes les deux, hoquette, une main sur le ventre, et lâche :

— Un loup…

Jesha l'agrippe par le col du surcot et le plaque contre l'armoire :

— Lequel ?

— Topod. Ses golems fouillent les ruelles de ce côté.

— Tu t'assois là et tu ne bouges pas. Je n'ai pas encore décidé ce que je vais faire de toi.

Jesha attire Lilas à l'écart :

— Un loup. Ce n'est pas bon, ma douce. Cela veut dire que c'est officiel. Le maître de l'arbre a dû donner des ordres.

— Je pars. Tu en as déjà assez fait. Tu peux tout perdre.

— Tu es mon amie, Lilas. Rassemble les tiens.

17

« La pétrification opère-t-elle jusqu'aux tréfonds de l'âme ? Doit-on considérer que l'Ancrage sert les champs féeriques au nom de la vie et néglige la singularité des âmes naines ainsi sacrifiées ? Je refuse de confondre un peuple avec les individus qui le composent. Une fois encore, l'enchantement propre au souffle démontre une vision caricaturale du monde. »

ROSEAU, *Un plus un*

Creusée au cœur de l'arbre, la salle inspire une forme d'humilité. Cerne a la sensation d'évoluer dans les entrailles d'une créature antique. Les hautes parois luisent d'une couche compacte, formée de coulées de sève séchée dont quelques-unes continuent de suinter comme des filets de bave. Des fleurs blanches, semblables à des nénuphars, piquent les flancs de la grotte et diffusent une lumière lactée.

Sueur végétale, pense Cerne.

L'arbre vit. Sa conscience, empesée et engourdie, se devine dans les champs féeriques comme un orage lointain. Même si, à l'extérieur, les frondaisons de l'entité ont disparu, il se sait en dessous, protégé par elles. À présent, la Haute Fée de Médiane ne peut plus le contacter. Ni les renégates. Il est seul, ou presque.

Lyme marche derrière lui. Pas pressés, toujours, pour pouvoir suivre les grandes enjambées de son maître. L'enfant a changé depuis quelques jours. Son visage a repris des couleurs, ses joues paraissent moins creuses. Son regard résigné a disparu. Cerne a confiance en lui, Cerne a besoin de lui. Un sentiment inconnu, encore trouble et inquiétant. Il sent que son armure mentale se fendille, que le garçon devient une béquille et qu'il pourrait, le cas échéant, voir au-delà pour en faire un complice. Ou un héritier.

Il songe au *Recouvrance*, à la poursuite engagée par la Haute Fée pour retrouver Brune. Il a laissé les nécrovents agir à leur guise. La mer n'est pas son domaine. Son souffle perd en consistance dès lors qu'il est loin de la terre ferme, sur un navire dont l'axe évolue au gré des vagues. Il s'apprêtait à grimper dans une barque pour rejoindre ceux qui avaient abordé la géode lorsque le souffle de Brune s'était déployé autour du bâtiment et avait, sans difficulté, tranché net le lien spectral qui reliait Orme aux âmes errantes.

Cerne n'éprouve aucun regret. À ce moment-là, personne, pas même la Haute Fée, n'aurait pu contenir la pression exercée sur les champs féeriques. Dès lors, il a ordonné au *Recouvrance* de manœuvrer à bonne distance et s'est contenté de suivre l'empreinte légère du souffle primordial qui imprégnait l'écume des vagues.

La piste l'a conduit ici, à l'Axile. Un bon choix. Sans doute aurait-il fait le même, d'ailleurs. L'Axile s'impose à ceux qui espèrent échapper à l'haleine des Hautes Fées. Pour autant, existe-t-il un autre motif qui justifie la présence de Brune sur le cinquième arbre ? Il regrette de ne plus pouvoir agir à sa guise, d'avoir les mains liées par la volonté des Proues.

À Médiane, rien n'entrave mes choix. Ici, je dois écouter. Me fondre dans un credo et l'utiliser pour retrouver Brune.

Il écarte les lèvres pour sentir le goût du souffle. Sa fée inhale avec un plaisir manifeste les particules invisibles qui flottent dans la grotte : l'entité lui infuse son parfum d'une manière indirecte.

Cerne s'avance sur un signe du loup de mer qui lui sert de guide. Un colosse à la démarche pesante, bras nus sous un gilet de fourrure blanche. Deux golems de sel ferment la marche. Cerne jette un coup d'œil par-dessus son épaule. Les deux créatures se méfient de lui, il le sent. Quelques instants plus tôt, alors qu'ils grimpaient un escalier en colimaçon, il a fait mine d'ajuster une mèche derrière son oreille. Un geste anodin pour dissimuler un mouvement du souffle, le déploiement discret d'un soupir de protection qu'il voulait poser sur sa nuque. Le loup de mer a grogné et s'est figé devant lui sans même se retourner. Un golem de fer s'est approché et a tendu la main. Une pogne épaisse dotée de trois doigts qui se sont refermés sur sa nuque et ont écrasé le soupir comme un insecte.

Le trône se dresse devant eux, une convergence de racines noueuses qui sortent de terre, se tressent à un mètre du sol et s'évasent pour former un fauteuil large et bosselé où siège le maître de l'arbre.

Paupières lourdes, drapé dans une cape rouge foncé, le nain Coudrier, maître du cinquième arbre, toise ouvertement les deux visiteurs.

Cerne défait un bouton de sa veste, sensible à la chaleur qui règne dans la grotte, puis il joue avec sa langue et sollicite sa fée pour tenter de discerner des soupirs embusqués, des pièges dissimulés dans les champs féeriques. L'examen échappe à son escorte, mais il décèle une lueur amusée dans les yeux de Coudrier.

Excepté le loup de mer et ses deux golems, le maître du cinquième arbre est seul, isolé et presque abandonné dans une grotte qui rappelle la démesure du palais de la Haute Fée.

Le nain, devant lui, achève son Ancrage. Cerne s'attarde sur le visage, sur les rides gravées et la bouche figée dans un rictus. Sentiment de malaise. La pétrification évoque chez lui des images creuses, des visions de mort loin des légendes colorées qui veulent faire du processus le témoignage d'une naissance, d'une fée-Nexus en qui s'insuffle l'âme de son accoucheur.

L'Ancrage a figé la chair dans un âge incertain. En dépit des rides et des cheveux blancs, la raideur des traits parodie le visage et brosse un masque intemporel. Cerne s'attarde sur les mains. Racornies et tavelées, comme des serres, cramponnées aux racines.

Le geste révèle un combat, une rage viscérale.

Un golem de sel se décale sur sa gauche. Cerne l'ignore et salue le maître de l'arbre d'un petit mouvement de tête. Lyme l'imite, sans ostentation. Le loup de mer se déplace à son tour et prend position en face de lui, à droite du trône, avec une indolence trompeuse. Cerne déchiffre le triangle formé par l'homme et ses deux créatures. Un dessin composite, souffles croisés, pour anticiper le moindre mouvement hostile.

— Tu voulais me rencontrer… je t'écoute.

Cerne a manqué de sursauter, surpris que Coudrier utilise sa voix. Il s'attendait à un dialogue mental par l'entremise du souffle. Il doit composer avec une voix pathétique, un grincement grotesque filtré par des lèvres minérales.

— Je suis venu chercher une femme.

De nouveau, l'œil du nain s'éclaire :

— Vous venez tous ici… pour chercher quelque chose, répond-il d'une voix traînante.

Cerne détourne le regard. La salive qui bouillonne aux commissures de ses lèvres démontre à quel point Coudrier est soumis aux tortures de l'Ancrage.

— Cette fille appartient à la Haute Fée de Médiane. Je dois la retrouver et la ramener auprès d'elle.

Cerne devine un mouvement imperceptible dans l'épaisse chevelure blanche qu'il croyait elle aussi pétrifiée.

— Les renégates sont en droit de trouver refuge à l'Axile.

— Celle-ci a fui l'autorité de Médiane et a compromis une Ligne-Vie. La Haute Fée veut l'entendre.

— Et la juger ou la tuer. L'Axile ne juge pas ceux qui viennent en paix.

— Elle peut menacer l'Axile aussi.

— Le conseil des Proues en est seul juge.

— Vous avez accepté de me recevoir en qualité de représentant officiel de la Haute Fée…

— Oui, les Proues considèrent Médiane comme une alliée.

— Alors trouvez cette fille pour moi. Débusquez-la. Médiane saura vous remercier.

— Je te connais… j'avais envie de te rencontrer. Ta réputation grandit. On dit que tu as tué l'Alambre.

— Oui. Une renégate.

— Elle était venue ici. Pour se cacher. Elle était très belle. Elle se tenait juste là, au même endroit que toi. Sais-tu que son souffle parlait de la mer ?

— Elle naviguait beaucoup.

— Elle m'a parlé de côtes escarpées, de terres noires. Elle m'a offert un… un… coquillage.

Un filet de bave coule de nouveau entre ses lèvres et devient une mince stalactite. Le loup de mer pivote en direction de son maître comme si le silence l'avait alerté. Il lève une main aux doigts longs et fins qui contrastent avec le reste du corps et souffle un baiser en direction du trône. Le filet de bave se dissout dans une poussière givrée.

— Le coquillage… poursuit le nain. Il y avait un souffle à l'intérieur. Karod, c'était son nom. Une âme errante piégée dans cette coquille à la suite d'un naufrage. Karod chantait à l'intérieur. Mal… il chantait mal. Une voix de fausset. Mais il chantait pour ne pas devenir fou. Tu crois que le chant peut me sauver, mon ami ?

— Je ne sais pas.

— Elle prétendait que les modulations de ce Karod pouvaient peut-être s'accorder à la tonalité de mon agonie. Sa maladresse pour m'atteindre au cœur. Elle avait raison. Ce Karod m'a soulagé, sache-le. Sa plainte l'a emporté sur la mienne et, toute la nuit, je l'ai écouté pour m'oublier.

Cerne hoche la tête par convenance. Les digressions du nain l'irritent.

— Je l'aimais bien… lâche Coudrier. Je l'aimais bien.

— Une renégate. Elle devait mourir.

— Tu es comme moi, Cerne. Tu cherches à museler les douleurs du passé. Les miennes tordent mon corps. Les tiennes essorent ton âme.

— Je n'ai pas envie de parler de ça, rétorque-t-il d'une voix sèche.

Frisson concerté du golem de sel et du loup de mer. Cerne s'efforce de se calmer et contrôle sa respiration.

— Moi si… articule Coudrier. Tu te pétrifies de l'intérieur, ami. Et je ne sais qui, de nous deux, est le plus à plaindre.

Cerne ferme les yeux. Calme-toi, tu as besoin de lui, se dit-il.

— Parle-moi de cette fille, dit Coudrier.

— Brune, c'est son nom. Je vous ai tout dit. Elle appartenait à la Haute Fée.

— J'ignorais que Médiane goûtait aux fruits corrompus.

— Elle ne l'était pas, au début.

— Je ne… crois pas un mot de ton histoire.

Le loup de mer porte ostensiblement la main à la ceinture. Une épée sans fourreau pend le long de sa cuisse. Une lame émoussée et courbée à son extrémité.

— Tu as tort. Je cherche Brune et j'ai besoin de toi pour la retrouver.

— Ça… oui. Mais ce n'est pas Médiane qui t'envoie.

Cerne émet une longue expiration. Un golem de sel crisse et fait un pas en avant.

— D'accord, admet-il.

Lyme tremble sous sa main. Il accentue sa pression pour le rassurer.

— Des renégates. Elles veulent Brune. Ou elles détruiront la ville.

— *Des* renégates ? Que se passe-t-il, mon ami ? De quoi parlons-nous, au juste ?

— De l'impossible. Elles étaient sans doute plus d'une centaine.

— Et elles t'ont choisi… toi. Cerne, celui qui les traque depuis des années.

— Je suis plutôt doué, ironise-t-il spontanément.

La bourrasque le surprend. Le souffle qui l'anime est un crachat qui exprime une immense frustration. L'attaque est affûtée de telle sorte qu'elle perce le rempart de son propre souffle et se matérialise dans son cœur pour saisir sa fée à la gorge. Coudrier lui impose une vision nette et fulgurante du mal qu'il inflige et Cerne contemple, impuissant, le cou gracile de sa fée se violacer sous la pression d'une main invisible.

Le nain lève brutalement l'enchantement :

— Tu dis la vérité, mais je n'aime pas ta suffisance. Ne te moque jamais de moi. Jamais… Jamais.

— J'ignore pourquoi elles m'ont choisi, dit Cerne.

Il tente d'établir le contact avec sa fée et se heurte à un profond silence.

— Je parle au nom d'une lignée, ne l'oublie pas, dit Coudrier. Là-haut, les Proues écoutent et s'interrogent.

— Trouvez-la. Les renégates vont détruire Médiane.

— Si tant est que tu dises vrai… pourquoi as-tu accepté ?

— Médiane. C'est ma ville. Je ne peux pas la condamner.

— Ton arrogance est grotesque. Tu… es grotesque.

— Non ! lance Lyme d'une voix tremblante. C'est vous !

Une poussière blanche soufflée par un golem foudroie le garçon. Lyme tombe sur les genoux. Cerne le saisit sous les aisselles et le relève délicatement.

— Arrête, dit-il à l'oreille du garçon. Tu dois savoir écouter.

Il le serre dans ses bras avec une sensation de déjà-vu, comme s'il se retrouvait de nouveau là-bas, dans cette autre grotte, cerné par les renégates, et qu'il n'avait que lui comme espoir, cet enfant qu'il a *acheté*.

Lyme contient ses larmes. Il veut m'impressionner, se dit Cerne. Il veut me montrer qu'il n'a plus peur près de moi.

Il entraîne l'enfant trois pas en arrière et note, du coin de l'œil, un tiraillement nerveux aux joues du loup de mer.

— Excusez-le, dit Cerne.

— Il t'aime, dit Coudrier. Tu as de la chance.

— Aidez-moi à trouver Brune.

— Non.

— Vous mesurez les implications ?

Le maître de l'arbre veut répondre et ne produit qu'un gargouillis sinistre. L'une de ses pupilles se dilate. Assez pour que Cerne le remarque et bloque sa respiration. Les caprices de Coudrier sont connus. Cette dilatation pourrait tout aussi bien commander son exécution.

Un golem de fer s'ébranle dans un nuage farineux et se dirige vers l'escalier. Un long silence pèse sur la salle du trône. Cerne se cramponne aux épaules de Lyme et comprend que l'enfant lui est devenu indispensable.

— Sois patient, murmure-t-il.

L'atmosphère saturée d'humidité commence à gêner sa respiration. Il écarte les pans de son manteau.

— Tu as vu ? chuchote Lyme en pointant un doigt timide vers le nain.

— Tais-toi, ordonne Cerne.

Une goutte de sueur, puis deux sont apparues au front du nain. D'autres se forment dans le creux de la lèvre supérieure et oscillent au bord de la peau. Cerne plisse les yeux. Les gouttes évoquent un liquide en fusion.

Des gouttes de lave… songe-t-il spontanément. Leurs surfaces irisées scintillent un bref instant puis s'éteignent. Des cailloux dégringolent entre les jambes du nain.

Le loup de mer se raidit. Cerne entend des pas pressés résonner dans l'escalier.

Le golem réapparaît. Une silhouette trottine dans son sillage, un homme bedonnant, la peau luisante. Sa chair flasque gondole autour d'un tablier de cuir noir qui lui couvre le torse et les cuisses. Des tatouages aux formes abstraites couvrent son crâne chauve. Un large collier de cuir enserre son cou et accentue ses bajoues. Cerne grimace à la vue du goitre, hypertrophié, qui pend au-dessus du collier comme une outre de chair molle.

L'homme salue à peine les deux visiteurs et entreprend de grimper maladroitement sur le trône en s'accrochant aux racines. Ahanant, le souffle court, il parvient à se hisser à la hauteur du maître et, dans une posture précaire, à approcher son visage au plus près de celui du nain.

Lyme pousse un petit cri lorsque le rire, aigu et vibrant, jaillit de la gorge du nouveau venu. Comme un ricanement, presque un croassement qui s'élève vers la voûte et déchire le silence. Cerne connaît, sans l'avoir jamais entendue, cette pratique séculaire du souffle enseigné, jadis, par les bouffons et les saltimbanques. Une distorsion sonore qui devient ici un rire modulé comme un chant pour apaiser les muscles tétanisés, pour relâcher la pression de l'Ancrage et offrir au maître un répit.

Le soulagement se lit dans le regard du nain tandis que les rires frappent son visage en rafales. L'amuseur, lui, travaille. Cerne admire sa technicité. Sous le vernis du rire, il perçoit les délicatesses infimes du souffle, une caresse dévouée qui parle à la pierre et lui suggère d'épargner encore un peu la voix du maître des lieux.

— Il me fait peur, fait Lyme en chevauchant d'une main celle de son maître.

Cerne le tient toujours par l'épaule et sent qu'il tremble.

— C'est un homme bon. Un guérisseur. Tu n'as pas à avoir peur.

Lyme n'a pas l'air convaincu et reporte son attention sur l'amuseur.

Peu à peu, le rire décline. Le ricanement devient plus léger et finit brutalement par s'éteindre.

— Va, dit le maître.

L'homme se replie avec la même maladresse et s'éclipse dans l'escalier.

— C'est de plus... en plus difficile, confesse Coudrier.

Cerne décide d'improviser. Derrière le maître, il y a la volonté des Proues, un idéal de liberté, une conception affranchie du souffle. Il pensait, à l'origine, pouvoir exiger qu'il se défausse au nom de l'amitié qui lie l'Axile à Médiane, mais le mensonge n'a pas tenu. Il doit toucher le nain au cœur, lui offrir un chemin officieux. Cerne n'a pas le choix. Tenter d'enlever Brune, si tant est qu'il puisse la retrouver, l'exposerait à la colère des loups de mer. L'idée de tenter sa chance, de braver ces colosses arrogants l'effleure. Pour autant, l'assemblée des renégates a effrité ses convictions. Sa confiance en lui. Le socle de ses certitude vacille depuis cette rencontre inédite dans les égouts de Médiane.

Sous ses doigts, la tiédeur de Lyme le rassure.

— Brune... Elle n'a que seize ans mais son souffle... est immense.

— Je n'ai rien senti de tel.

— Elle peut se faire discrète. Elle est aidée.

— Qu'essayes-tu de dire, mon ami ?

— Les renégates prétendent qu'elle doit leur servir de guide. Brune doit pouvoir vous délivrer. Délier l'Ancrage.

— Tu espères m'appâter avec cette promesse ?

— Qu'avez-vous à perdre ?

— Tu ne me connais pas. Tu ignores ce que je vis, ici. Ma solitude, ma souffrance. Je refuse de mourir comme ça. D'accepter la sentence.

— Elle peut vous sauver.

— Tu sembles convaincu.

— J'ai vu les renégates. Je suis le seul. Brune peut délier l'Ancrage.

— Les sirènes aussi.

— Mais elles doivent vous aimer.

Une lueur amère brille dans le regard de Coudrier.

— J'en ai rencontré beaucoup, confesse-t-il. J'ai essayé de les convaincre… de les séduire. De les acheter.

Et d'en violer certaines, songe Cerne qui n'a pas oublié les rumeurs persistantes à ce sujet. Peut-être une simple rumeur, justement. Mais devant le désespoir du nain, il redoute que cette grotte ait pu abriter le pire.

Pour l'instant, j'ai besoin de toi. De ton emprise sur le cinquième arbre.

Elle peut vous sauver, répète Cerne à travers le souffle.

Je vais te croire, dit le nain. *Je n'ai rien à perdre. Mes loups de mer vont organiser une battue et débusquer cette fille, Brune. Je la veux à côté de moi. Je veux qu'elle souffle sur moi.*

Elle le fera, affirme Cerne. *Ensuite, elle viendra avec moi.*

Un nouveau silence les sépare. Cerne décèle une présence sourde, plusieurs même, qui émanent de la voûte et murmurent dans la grotte.

Les Proues consentent à ce marché, déclare Coudrier. *Mais tu les perturbes. Ton souffle a une perspective trouble et inquiétante. C'est étrange... Jamais les Proues n'avaient éprouvé ce sentiment.*

Lequel ? demande Cerne.

La peur. Elles ont peur de toi.

18

« Par "amour", j'entends deux lignes parallèles et fidèles. D'autres préfèrent parler d'une intersection. Ce dernier mot me semble particulièrement inapproprié. Il renvoie à une vision sécante de nos trajectoires amoureuses. Pitié ! »

ANONYME

Fuir.

De nouveau.

Brune ne sait plus si cela a un sens. Elle croit seulement à la nécessité vitale de mettre le plus de distance possible entre Lilas et elle. Elle a, un temps, tenté de filtrer ses émotions pour essayer de comprendre qui elle est et ce qu'elle veut, mais elle n'y arrive plus.

Elle tient la main de Saule. Le nain marche derrière elle avec une expression hermétique. Elle sait qu'il ne voulait pas quitter le Galeux ainsi. Elle entend sa peine et voudrait le consoler, mais elle doit avancer. Se perdre dans l'Axile, se fondre dans les escaliers et les boyaux oubliés de la cité franche. C'est elle, désormais, qui le guide et l'entraîne. Il y a, dans cette marche forcée, une évidence qu'elle ne peut pas tout à fait comprendre, la volonté que leur trajectoire à tous les deux s'infléchisse au contact d'une écorce antique. Elle lève régulièrement les yeux vers le sommet de l'arbre et l'assemblée silencieuse des Proues.

Ils progressent sous une pluie fine. Un vent frais s'engouffre dans les rues. Elle aime le vent et ses odeurs. Elle devine, parfois, dans le sillage des bourrasques qui soulèvent ses cheveux, l'essence diluée d'une âme errante. Des témoins.

Presque des complices dont elle partage la solitude, le sentiment que le monde la refuse et qu'elle cherche sa place. Dans les champs féeriques ou ailleurs.

Saule ralentit le pas. Elle se retourne.

— On continue, dit-elle avec un mince sourire. Avance.

— Je n'y arrive pas. Pas cette fois. Ils m'ont sauvé et je les abandonne. C'est ma famille…

— Si tu restes près d'eux, ils vont mourir. Tu dois les quitter.

— On ne va pas mourir, tranche Saule.

Ils sont au milieu de la rue. Ils se tiennent la main et les passants s'écoulent autour d'eux comme un torrent contrarié. Elle aimerait le serrer contre elle, lui donner sa force, mais quelque chose la retient. Peut-être veut-elle le protéger, lui laisser le soin de décider, par lui-même, s'il doit la suivre. Elle ne doute pas de son amour, mais de lui, des vérités qu'il a enfouies au tréfonds de son âme.

Pourquoi es-tu là, Saule ? se demande-telle. Suis-je un moyen pour toi d'exister ? Est-ce bien moi que tu aimes ou cette image que je te renvoie de toi-même ? Voulais-tu t'axer sur mon souffle parce que le tien était perdu ?

Elle ne dit rien, pourtant. Elle l'aime au point de vouloir sa liberté.

Les gouttes de pluie brillent dans les cheveux de Saule. Elle sent à quel point il est perdu. À quel point il regarde, en pensée, par-dessus son épaule vers ceux qui constituent son socle vital. Sa famille. Les siens.

Elle sourit :

— Tu peux partir, tu sais.

Un marchand ployé sous un énorme ballot de tissu grommelle pour les dépasser.

— Je suis là, dit-il. Je suis là.

— Tu en es sûr ?

Il opine, mais ses yeux sont voilés. Elle lui presse les paumes entre deux doigts.

— Qu'est-ce qui va se passer ? demande-t-il.

— Je l'ignore.

— Tu es si fragile. Et… si forte.

— Ton souffle. Il est en moi. Cela me suffit.

— Je vais mourir, quoi qu'il arrive, pour que tu vives.

Un pincement au cœur. Elle se revoit, une heure plus tôt, dans sa chambre où Saule vient d'entrer. Il se précipite à son chevet, il lui parle de la mort, du passé, du métal et d'un souffle consacré par la magie de l'Aquilon. Elle le force à s'asseoir sur le bord du lit, à se calmer. Elle a du mal à le suivre et voudrait qu'il fasse des phrases cohérentes. Il faut un moment avant que Saule parvienne à résumer les propos tenus par Errence. Elle lui affirme que se nier pour la servir, elle, n'a aucune signification, qu'elle le veut entier à ses côtés. Elle insiste, elle lui dit qu'elle ne veut pas le voir vivre diminué ou incomplet. Il prétend que c'est impossible et qu'il n'est plus très sûr d'avoir le courage de mourir lentement devant elle. Qu'il redoute la fin de leur histoire.

Elle lui rappelle d'une voix douce que cette fin fonde bien entendu l'intensité de leur amour, que le recours à

275

l'Aquilon supposerait de faire de lui une âme inerte en dépit du souffle et qu'en fin de compte, il ne serait plus *lui*, Saule, fils de Lilas et Frêne, l'homme à qui elle a accordé la place de père.

Elle revoit la tristesse dans ses yeux. Il avoue, dans un soupir, qu'il considère qu'elle est tout et qu'il n'est rien.

Elle proteste, elle résiste à l'envie de le gifler et de lui dire combien il existe à ses yeux, combien son âme lui est précieuse.

La pluie s'intensifie. Brune surprend le regard appuyé d'une vieille femme au visage noueux qui les regarde, Saule et elle. Un souffle ténu effleure sa joue.

Je ne pleure pas, lui dit-elle en pensée.

La vieille femme s'éloigne dans un murmure, quelques mots suspendus qui résonnent dans le crâne de Brune :

Pas toi, le monde.

Brune vacille. Elle voudrait rattraper la vieillarde, mais ses jambes ne la portent plus. Saule la soutient et la dépose à l'abri, sous un arbre fleuri planté à l'entrée d'une rue escarpée.

— Ma place est ici, près de toi, dit-il.

Brune sent le tronc dans son dos. La tête lui tourne. Saule dépose un baiser sur son front et lui répète qu'elle ne doit pas s'inquiéter, qu'il sera toujours là.

— Tu as déjà pris ta décision, finit-elle par dire.

— Quelle décision ?

— Tu as peur, Saule. Tu as peur de me dire que tu n'as pas le courage de mourir. Que tu préfères sacrifier l'intégrité de ton âme pour devenir un souffle, près de moi.

Elle grimace. Une douleur à la poitrine lui arrache un gémissement. Elle a senti distinctement sa fée s'agiter. Au-dessus d'elle, les branches frissonnent. Elle écoute la musique de la pluie et se dit qu'elle aimerait que tout s'arrête ici. Sous les frondaisons d'un arbre, bercée par la pluie, avec Saule qui lui frotte le bras pour la réchauffer.

Elle ferme les yeux.

La douleur reflue.

Elle sent bien qu'elle ne pense pas comme une fille de son âge. Elle a peur, elle aussi. Terriblement peur de ce qu'elle éprouve pour Saule. L'espace d'un instant, elle effleure une vérité, la certitude que cet amour équivaut à un renoncement. Lequel ?

Sa tête glisse sur le côté. Sa joue se pose sur la main de Saule qui étreint son épaule.

Je ne veux pas te perdre. Pas toi. Tu étais là lorsque ma souffrance s'est incarnée dans un flot de sang. Tu étais là lorsque j'ai tué ce valet, la nuit suivante. Ce garçon de treize ans, amoureux de moi, qui était chargé de veiller sur le feu de la cheminée. Je me souviens très bien de lui, de ses gestes appliqués pour disposer les bûches dans l'âtre. Il avait souvent les doigts noirs au contact de la cendre, les ongles crasseux. Parfois, il s'épongeait le front avec le dos de la main et laissait, sur son visage, des marques noires. Comme des peintures de guerre. J'aimais sa simplicité et je l'ai tué. Je lui ai laissé croire à un baiser volé dans la réserve à bois, j'ai feint l'abandon pour forcer le sien. C'est peut-être le tronc de cet arbre, là, juste contre moi, qui me rappelle la poutre contre laquelle je me suis appuyée pour le laisser venir à moi. Il tremblait. J'ai souri, trompeuse, pour qu'il ferme les yeux et j'ai songé que j'étais la dernière personne à voir sa vie palpiter derrière ses paupières. J'ai senti ses lèvres se poser sur les miennes et je ne pensais plus à lui, mais à cet interstice qui me séparait encore de sa langue et du goût de son souffle. Il a tressailli et il est mort dans ce baiser.

— Il faut partir, dit Saule.

Il veut retirer sa main, mais elle appuie avec sa joue pour lui signifier de ne pas bouger. Elle voit, devant elle, le ruissellement de la pluie, un torrent impétueux qui épouse les circonvolutions du sol. Elle se reconnaît dans cette course instinctive forcée par le relief. Elle, la source furieuse qui se fraie un chemin dans les plis du monde.

Qui, de lui ou de moi, décide du chemin tracé ? En décidant de quitter le Galeux, de se soustraire aux questions et aux décisions de Lilas, elle a voulu infléchir un destin qui lui échappait.

Elle relève le visage.

Son père la regarde. Il est inquiet. Elle doit le rassurer, elle doit lui donner ce qu'il attend.

— Viens, dit-elle en se redressant et en le tirant par la main.

Il se laisse faire et s'engage avec elle sous la pluie battante.

Brune marche vers celui qui la cherche.

Elle ne connaît pas son nom ni même ce qu'il veut.

Elle a très froid, les pieds trempés, mais elle veut le rencontrer.

Elle refuse encore d'en parler à Saule. Elle ne veut pas l'effrayer et sans doute ne comprendrait-il pas pourquoi elle tient autant à se confronter à cette âme encore floue qui s'esquisse dans les champs féeriques. Elle la distingue comme la lueur d'un phare dans la nuit, une lumière blanche qui hoquette à l'horizon. Peut-être était-elle là depuis toujours, mais elle se souvient en avoir réellement pris conscience au moment où elle pénétrait dans l'aura de la géode, là-bas, au large du Sycomore. Elle ignore la vocation de cette lumière. Jusqu'ici, elle craignait de s'en approcher, de devoir quitter les ombres pour s'y livrer.

À présent, elle la devine si proche qu'elle pourrait presque la toucher.

Je cherche mon point de fuite.

Mon horizon converge là-bas, vers ce point, et c'est à moi de le trouver. C'est à moi de le provoquer.

Saule reste silencieux, ombre pesante et sûre. Son pas régulier la rassure. La pluie cesse brutalement. Une odeur de bois humide imprègne les rues. La végétation expire. Brune se sent soudain plus légère, moins oppressée par les événements qui l'ont conduite jusqu'ici, sur les flancs d'un arbre-ville.

J'ai fait le bon choix. Lilas veut sauver son fils malgré lui, mais Saule doit venir avec moi, Saule doit s'accomplir.

Elle se fige alors qu'ils descendent un escalier étroit et sombre. Considère-t-elle qu'il lui appartient ? La question la paralyse et elle refuse, mâchoire contractée, sa main secourable.

– Tu n'es pas à moi, lui dit-elle, la main sur son ventre noué.

Elle se tient courbée, prise de nausée.

Il la dévisage.

— Tu es à toi… grince-t-elle. Tu ne m'appartiens pas.

— Je suis là.

— Non, soupire-t-elle en secouant la tête. Non, tu n'as pas à être là pour moi. Je veux que ce soit toi. Toi qui saches si tu dois être là. Je t'ai entraîné, je t'ai tiré par la main. Je me suis trompée.

Elle le repousse. Il fait un pas en arrière, interloqué.

— Qu'est-ce que tu as ? Tu es ma fille, je ne te quitte plus.

— Laisse-moi.

— Non, dit-il. Je ne peux pas. Jamais.

— Laisse-moi. Je ne mérite pas ce que tu fais pour moi.

Il veut la prendre dans ses bras. Elle le repousse encore et s'affaisse sur une marche.

— On ne peut pas continuer comme ça, dit-il. Qu'est-ce que tu as ?

— Je ne veux pas te perdre.

Il s'impose avec une rudesse qu'elle ne lui connaît pas. Il la hisse sur ses pieds et la tient par les bras, son visage à un souffle du sien.

— Tu sais où tu vas. Et moi, je veux te suivre.

— Tu ne sais rien… rien du tout. Je me sers de toi. Comme une clé. J'ai cherché une porte sur le monde et tu as été ma clé.

— Cela ne change rien.

— Je me sers de toi !

Elle a presque hurlé et les champs féeriques, autour d'elle, se hérissent. Saule la relâche, troublé.

— Va-t'en, dit-elle. Retrouve les tiens. Tu dois vivre.

— Te protéger. Je dois te protéger.

— Pourquoi ?

— Tu es ma fille.

— Depuis quelques mois ! Je n'ai pas grandi près de toi, je n'ai…

— Tu existes, l'interrompt-il d'une voix puissante. Tu existes. Toi et tout ce que j'ai vécu auprès de toi. Crois-tu qu'il me faille davantage ?

— Je suis en train de te tuer. Ton souffle s'écoule dans mon cœur.

Elle déglutit, submergée par l'émotion.

— Il est là, à chaque instant. Il brûle, il se consume, fait-elle en se frappant la poitrine. Je te sens mourir. À chaque fois que je respire, ta vie se racornit.

— C'est mon choix. Respecte-le.

Elle secoue de nouveau la tête.

— Je n'y arrive pas. Je… je préfère que tu meures.

— Quoi ?

— Que tu meures maintenant. Donne-moi ton souffle.

— Brune…

— Donne-le-moi ! crie-t-elle, la voix éraillée. Que je puisse pleurer ta mort. Je ne peux pas… je ne peux pas te regarder mourir des mois, des années durant. Donne-le-moi.

Tétanisé, Saule regarde autour de lui. L'escalier où ils se sont réfugiés semble onduler dans un brouillard noir et visqueux. Il entrevoit, un bref instant, ce que la vie lui a réservé et ce qui a pu le mener jusqu'ici, sur cette volée de marches, et veut se convaincre qu'il a le courage de mourir *maintenant*.

— Père, murmure-t-elle.

Il ne peut pas s'empêcher de trembler. Il veut sourire, lui montrer qu'il n'a pas peur et ne livre finalement qu'un rictus sauvage.

Il tombe doucement à genoux à côté d'elle et enfouit la tête dans son épaule.

— N'aie pas peur, chuchote-t-elle à son oreille.

Saule ne répond pas. Il résiste à l'envie de convoquer sa propre fée, de la sonder pour trouver la force qui lui manque.

— C'est mieux comme ça… dit-elle dans ses cheveux. C'est mieux comme ça.

Ils échouent sur une placette où trône un vieux saule pleureur. L'arbre fatigué s'émeut de leur apparition et écarte ses branches avec un son rauque.

Brune a la sensation que les feuilles lui parlent et qu'elles bruissent pour lui donner la force d'avancer. Elle ignore d'où elle tient la certitude de pouvoir faire de Saule un Aquilon. Elle regarde autour d'elle. Des murs aveugles et défraîchis font écran aux premières lueurs de l'aube. Elle s'avance et tire le nain par la main pour les mener sous les branches, à l'abri.

Saule demeure silencieux. Tous deux se dévisagent un long moment, mains jointes.

J'aime ton courage, Saule. J'aime ce que tu me donnes. Avec toi, j'ai compris que nous sommes tous un point de fuite pour mettre notre monde en perspective. J'aime ta perspective. Tu es prêt à y renoncer pour moi et là, tandis que la douceur de ton regard me déshabille, je ne sais plus si c'est mieux comme ça, si je peux aller jusqu'au bout.

Te réduire à un souffle pour ne pas te perdre. Si tu étais condamné ou axé sur une autre que moi, j'accepterais de vivre encore près de toi, de profiter de chaque instant. Mais je ne peux pas te regarder mourir à cause de moi. C'est au-dessus de mes forces. Je suis en train de te tuer. Il n'y a rien d'autre à dire. Je prends ton souffle, je le consume.

Saule a glissé une main derrière sa nuque et approche ses lèvres.

Elle les attrape entre les siennes, les mouille et les goûte avec sa langue. Il tressaille, elle insiste et sent qu'il veut plus. Elle ouvre la bouche, le laisse venir à l'intérieur. Il s'enhardit, cherche sa langue et l'épouse.

J'ai envie que tu me fasses l'amour, j'ai envie de te sentir venir en moi, mais je sens que tu ne veux pas. Que tu brides ton désir pour ne pas entamer notre fragilité. Ta pudeur est ton dernier rempart. Tu t'abrites derrière elle pour pouvoir renoncer à ton corps et devenir un souffle.

Je comprends, Saule.

La fée de Brune s'ébroue avec une volonté malsaine et remonte dans sa gorge comme une bile refoulée.

Saule se raidit. La main qu'il avait glissée sous sa nuque se relâche. Elle sent qu'il vacille et perçoit le hurlement étouffé de sa fée que l'on met à mort.

Des larmes silencieuses inondent le visage de Brune tandis qu'elle détache lentement ses lèvres et tend les bras pour soutenir le corps flasque de son amant.

Tu es trop lourd, mon amour, je ne peux pas te porter.

Elle doit renoncer et le laisse glisser lentement au sol. Les genoux du nain cognent contre les pavés. Elle tient son visage, les doigts dans ses cheveux.

Il encercle ses hanches avec les bras. Il ne lutte pas, il abandonne son souffle qu'elle voit distinctement envahir sa bouche avant de se faufiler entre ses lèvres entrouvertes.

Brune recule d'un pas. Saule ne bouge plus. Figé, à genoux, le menton sur la poitrine.

Brune recule encore, paralysée par les images qui bouillonnent dans son esprit.

Je… je sais qui je suis, Saule.

Le souffle du nain presse contre sa joue.

Je sais qui je suis.

Autour d'elle, les champs féeriques et la réalité se confondent dans une émulsion primordiale. Le saule pleureur clignote comme si les deux mondes cherchaient à se l'approprier.

Brune cristallise le décor d'un geste ferme et canalise la pression instinctive exercée par les champs féeriques pour contraindre les pavés, la terre en dessous et l'écorce en profondeur.

Au-dessus d'elle, elle décèle le désarroi des Proues lorsque le cinquième arbre soumis à sa volonté s'ouvre et happe le corps de Saule.

Le nain s'enfonce lentement et Brune s'oblige à regarder jusqu'au bout. Jusqu'à ce que les pavés se referment sur son visage et qu'il ne reste qu'un souffle au creux de son épaule.

19

« Mieux vaut manger salé. »

Proverbe de l'Axile

L'ordre dégringole le long de l'arbre. Un souffle impérieux nourri par les vents du large, une rafale de vent portée par les Proues.

Baranus, loup de mer du cinquième arbre de l'Axile, se tient à califourchon sur une poutre qui saille dans le vide et guette l'horizon. Ses deux golems de sel sont restés en retrait.

Le souffle glisse sur lui. Il plisse le nez. Il n'aime pas être dérangé. Pas quand il convoque l'horizon pour dénouer les fils qui entravent sa vie, ces fils qui ont fait de lui un colosse aguerri et servile. Il frappe ses mains l'une contre l'autre pour voir le sel jaillir entre ses paumes.

Quelques grains s'évanouissent dans un tourbillon.

Chaque soir, en se déshabillant, il constate à quel point son rôle est devenu une seconde peau. Le sel s'incruste dans sa chair, le sel est devenu un élément constitutif de son organisme et métamorphose peu à peu son esprit. Le visage de Jordain s'impose. Un loup de mer, comme lui. Vieilli par cinq décennies de marche dans l'intimité de l'arbre. En dépit de ses origines, Jordain croyait à une forme de pétrification. « L'Appel, il sera pour nous aussi, tu verras. Sauf que ce sera celui du large. Dans ton crâne, y a déjà des vagues, Baranus. Des petites vagues qui battent contre ton cerveau. Elles le creusent, elles le taillent et un jour, il va basculer dans la mer. Alors tu seras là-bas. Avec moi. Dans l'écume. »

Baranus cherche son ami Jordain à l'horizon.

Jordain avait raison.

Baranus a senti les vagues envahir son crâne. Désormais, avant de se coucher, il ne déroge plus à ce rituel : plier et déposer ses habits sur la vieille chaise en bois posée dans l'angle de sa chambre, s'allonger sur son lit et écouter les vagues. Elles font un bruit sourd, elles ont le ressac de ses souvenirs. Il ferme les yeux et il voyage dans la marée. Il *est* la marée pour que le passé s'oublie et que le présent, seulement lui, rien que lui, fasse son œuvre.

Il refuse désormais que les Proues évoquent ce qu'il était. Il se sent mieux sans souvenir. Il peut se consacrer à sa tâche, il peut marcher dans les rues et veiller sur l'Axile.

Capitaine, j'étais un capitaine. Je n'arrive pas à chasser ce mot de ma mémoire. Tout comme l'odeur du bois ciré dans ma cabine. Ce parfum flotte toujours autour de moi et couvre les effluves du sel.

Il a soif. Il pivote pour rafler la bouteille posée derrière lui. Ses golems se cambrent sous le vent des Proues. Baranus devine leur impatience. Un golem de sel appartient lui aussi aux marées. Au mouvement, à l'horizon. Le golem est né de l'écume, né dans la tempête, dans le rugissement d'une mer démontée et de ses vagues enragées. L'ordre venu d'en haut les invite à arpenter l'arbre tandis que Baranus, leur maître, les contraint à attendre un peu.

Je suis leur digue, se dit-il.

Il boit. L'alcool enflamme sa poitrine. Le vent fait claquer son large pantalon bouffant. Ses bottes courtes, cloutées et usées, se balancent dans le vide. Il aimerait être seul. Laisser son esprit vagabonder. Rêver. C'est sans doute ce qui lui manque le plus, des rêves qui dérivent, sans attache.

Il tète le goulot et pousse un grognement. Sur sa langue, le goût du sel l'emporte. Depuis trois semaines, les cristaux suintent entre ses dents. Il a perdu l'appétit et grignote quand la faim lui donne le vertige.

Je m'ennuie. Je veux aller chercher l'horizon pour le tordre dans mes doigts comme une corde. Y faire des nœuds, lui faire cracher ses promesses, ses fantasmes. Je suis un esclave et je rêve de liberté. Je suis un loup de mer et je rêve d'un voyage sans fin.

Il grogne encore et lance la bouteille dans le vide. Elle décrit un arc de cercle et se brise trente mètres plus bas sur le toit penché d'une maison.

Il doit fermer son esprit aux pensées impures, il doit empêcher le doute de s'insinuer dans son crâne et de pervertir la beauté de sa charge.

Je suis un loup de mer, je veille sur l'Axile. Grâce à moi, on vient ici reposer son âme et sa fée.

Sa fée.

Il l'a baptisée Sens. Vivace et créative, elle demeure une complice, une présence irréfutable. Avec elle, le souffle peut avoir un parfum sucré qui soulage son palais. Sensation fragile d'avoir été, peut-être, amoureux d'elle au gré de leurs conversations nocturnes.

Amoureux de ton propre cœur.

Il éclate de rire et ouvre sa conscience à Sens.

Princesse, on nous attend.

Elle se défroisse et tend quelques veines. Il sent, lui, un désir brutal. Son pénis se dresse.

Arrête, dit-il.

Tu es triste. Tu en as besoin.

Sens peut le masturber en jouant avec la pression sanguine qui irrigue son pénis. Elle lui a expliqué comment elle procédait, mais il a oublié. Il n'exige rien. C'est elle qui, parfois, joue avec son désir pour soulager ses peines.

Arrête, répète-t-il avec fermeté.

La caresse cesse.

Tu n'es pas drôle, dit-elle, boudeuse.

Non, je n'ai pas envie d'obéir aux Proues. J'ai envie de rester là.

Tu n'as pas envie de marcher ou de retrouver cette petite fille, Brune, qui pourrait délier l'Ancrage qui tue notre maître ?

Fais attention, princesse.

Il soulève sa lourde carcasse et demeure un moment en équilibre. La poutre grince sous son poids. La bruine étend son voile sur l'Axile. Il embrasse une dernière fois l'horizon du regard.

À bientôt, lui dit-il. Attends-moi.

Baranus marche à pas lourds. Son corps imprégné par la magie du souffle frotte dans les champs féeriques et provoque, par endroits, d'infimes réactions : un filet de vapeur, toupie filandreuse qui plane un moment dans son dos avant de se dissoudre dans un chuintement gourmand.

Il croise un compagnon, un loup de mer dénommé Topod, visage buriné et poupin, yeux laiteux. Flanqué de ses deux golems qui le tiennent par la main, Topod est devenu aveugle, les pupilles rongées par le sel. Diminué, il reste néanmoins un gardien respecté dont les colères froides sont redoutées de ses propres frères.

Ils se saluent dans un souffle.

Baranus poursuit son chemin et ignore le ricanement moqueur de sa fée. Elle n'aime pas Topod, il a fini par le savoir.

Il pénètre dans le quartier des Bleuets où les bouches s'offrent et se monnayent dans des taudis fleuris.

Chichène, ma beauté. Toi, les vagues n'ont aucune prise sur toi. Tu restes intacte, fidèle au premier jour où je suis entré dans ta chambre. Je me souviens des jacinthes. Tu adores les jacinthes, tu aimes leur murmurer l'histoire de ton pays et la manière dont tu pourras, un jour, les ramener là-bas, avec toi. Tu ne couches pas avec tes clients, bien sûr. Comme les autres, tu n'offres que ton souffle. Rien ne vaut ta petite langue rose et sauvage quand elle glisse sur mes lèvres. J'ai l'impression que ma bouche se dessine sous cette langue, qu'elle existe pour t'appartenir. Tu dis que le sel pimente ton exploration, tu dis aussi que mon souffle est comme un ventre contre lequel on aime se blottir. Le tien, Chichène, m'offre un sursis, une autre façon d'être de ce monde et de me sentir vivant. J'appréhende toujours le moment où je vais te revoir. J'escalade les marches branlantes qui mènent à ta chambre, je dois me baisser pour franchir la porte et ne pas renverser les herbiers qui s'entassent à même le sol. Je te trouve toujours assise sur la petite table qui te sert de bureau, le nez plongé dans des concoctions aux odeurs âcres. J'aime ton regard troublé, tes longs cheveux bruns tressés. Quand je pénètre dans la pièce, tu te lèves, tu passes un doigt léger sur mon avant-bas et tu m'invites à me baisser pour que nous échangions un baiser du bout des lèvres.

Baranus secoue les épaules, les dents serrées. Un golem perçoit l'humeur maussade de son maître et éructe un nuage poudré. La pluie s'intensifie et oblige les passants à se mettre à l'abri. Le loup de mer jette un œil en contrebas. Entre deux érables penchés, il distingue un petit bout de toit. Quelques tuiles sous lesquelles il devine Chichène attablée et concentrée sur de nouvelles boutures.

Tu me manques. Je voudrais congédier mes deux golems et courir vers toi. Emprunter l'escalier de pierre qui traverse le parc des Airelles et déboucher dans ta rue. Si je peux penser à toi comme cela, c'est que la vie m'attend près de toi. Une autre vie. Pourtant, je sais bien que tu ne m'aimes pas. Que ton souffle s'offre à d'autres comme moi, des hommes tristes et brisés qui veulent s'oublier au contact de ta petite langue rose.

Un message clair fauche le cours de ses pensées, un soupir ciselé comme une flèche.

Le Galeux. Un contact.

Il reconnaît le souffle de Topod et improvise une brève réponse sur le même modèle.

Baranus. Je viens vers toi. Pas d'imprudence.

Course lourde et exercée dans les entrelacs du cinquième arbre. Malgré sa corpulence, Baranus peut solliciter son souffle pour s'harmoniser avec son environnement et affûter sa perception de l'espace. Sa foulée ne souffre aucune hésitation, comme s'il précédait son propre corps et pouvait, si besoin est, corriger sa trajectoire en une fraction de seconde.

Baranus ne distingue plus les nuances entre les escaliers pentus, les coursives étroites et les rampes usées qui conduisent vers le Galeux. Tout se confond dans un seul et même décor, un boyau aux façades estompées. Les champs féeriques se substituent progressivement à la réalité et colorent son univers. Les rares passants croisés ressemblent à des girouettes qui tourbillonnent sur son passage.

Seul compte le rythme imposé à son corps sous-tendu par le souffle.

Le goût du sel sur ma bouche, plus obsédant que jamais. Mon métier me résume, mon métier, ma charge, mon rôle dans ce monde…

Je ne suis plus Baranus.

Je suis un loup de mer.

Le Galeux surgit devant lui.

Il ralentit sa course pour ne pas couper le souffle trop brutalement et émerger des champs féeriques avec légèreté.

Il repère sans mal la haute silhouette de Topod dans son lourd manteau de fourrure blanche. L'homme patiente à l'écart.

— Tu es déjà venu ? dit-il lorsqu'il arrive à sa hauteur.

— Non. Mais Chichène connaît bien Jesha.

Topod opine du menton et montre le Galeux :

— Je ne suis jamais venu. Jesha n'avait jamais fait parler d'elle avant.

Vague grimace de Baranus. La réputation de Jesha n'est pas usurpée. Un souffle intègre que Baranus respecte. Il tente de se remémorer pourquoi, mais il n'y a plus que cette sensation, le respect. Les vagues de sel ont emporté le reste.

— Elle nous a sentis ?

— Peut-être. La fille, elle *était* là. Pas sûr qu'elle y soit encore.

— Tu as essayé d'entrer ?

— J'ai un mauvais pressentiment. Comme si on nous attendait.

— On entre. Je ne veux pas attendre.

La porte du Galeux s'ouvre devant eux. Ils pénètrent de front. Trois golems se sont postés à l'extérieur. Un seul, celui de Baranus, leur emboîte le pas à l'intérieur.

Un client se tasse sur leur passage, un autre rase les murs, regard soumis.

Les deux hommes ne les voient pas, le souffle tendu devant eux comme un tentacule invisible.

Ils jaillissent dans la grande salle. Le vacarme du Galeux décline, le silence s'impose.

Baranus établit un contact ténu avec la conscience de Topod.

Garde ton souffle. Ne bouge pas.

Vas-y.

Baranus s'engage entre les tables et oblige tous ceux qui osent le regarder à détourner ou à baisser les yeux.

Je suis en représentation. Je dois faire peur. Je dois peser sur leurs âmes, les obliger à courber l'échine.

Le souffle timide d'une fille lui effleure l'esprit.

Que veux-tu ?

Il se fige et pivote. Une jeune femme blonde et filiforme le dévisage, drapée dans une robe de soie bleue.

Il cligne des paupières une première fois pour que le souffle s'accorde sur ce visage insolent. L'infime quantité d'air brassé par un deuxième battement de paupières déploie un souffle taillé comme une gifle. Il frappe avec brutalité, sans retenue. Il n'aime pas l'innocence feinte de cette garce et lui sourit au moment où son souffle lui lacère la joue.

Elle titube, la joue grêlée de petits trous violacés.

La marque du sel.

La fille recule et s'affaisse sur une chaise. Un garçon obèse se précipite vers elle, la saisit par les épaules et l'escorte vers une porte.

Baranus avance jusqu'à l'escalier qui monte aux étages.

La dénommée Brune y a laissé une trace distincte. Des particules en suspension, comme les effluves d'un parfum. Le message des Proues précisait ses origines renégates et signalait qu'un nain avait axé son souffle sur elle.

Baranus a senti cet amour noué sur l'axe de la vie.

Je comprends. J'admets qu'on offre son souffle pour en sauver un autre. Je ne te connais pas, nain. Je devine juste ton souffle torturé qui marque les champs féeriques comme des pas dans la terre. Et ces pas sont profonds : tu as l'âme valeureuse.

Baranus franchit le palier qui communique avec la première coursive. Il domine le théâtre. L'attention qu'on lui porte, la manière dont les souffles se suspendent à ses pas, tout cela ne l'intéresse plus. Son esprit se consacre aux traces laissées dans les champs.

Le plancher de la coursive gémit sous ses pas mesurés.

Tu n'es plus là, nain. Ni toi ni cette fille. Mais il y a autre chose. Une présence *hirsute*, comme un souffle chaotique en embuscade.

Baranus s'immobilise.

Prudence.

Il s'accroupit lentement, plisse les yeux et expire devant lui.

Quelques particules de sel dévoilent des filaments transparents, des soupirs étirés comme des fils de soie en travers du passage. Il tend son visage au plus près du premier filament : la fragilité du fil est illusoire. Celui-ci ne romprait qu'en présence d'un souffle comparable au sien.

Un piège conçu pour un type comme lui, pour un loup de mer.

Il penche la tête sur le côté et se flatte le palais à la pointe de la langue. Son haleine fraîchit et devient un souffle froid qu'il dépose comme un baiser sur toute la longueur du filament. Givré et empesé, ce dernier abandonne les champs féeriques. Sa magie se dissout dans le passage forcé entre les deux mondes. Incarné, ce fil n'est plus désormais qu'un simple trait de glace.

Baranus le brise entre deux doigts et porte un morceau à ses lèvres pour le faire fondre. Il doit apprécier la saveur du souffle comme on se délecte d'un verre de vin. Sa bouche se dessèche au tanin du glyphe. Ses papilles décèlent très vite les sensations d'un soupir pressé.

Un souffle rond et amer, et surtout une sensation qui l'inquiète.

Il grogne et se redresse dans un craquement d'os.

Une famille.

Le glyphe a mêlé les souffles d'un sang commun. Il sait, à présent, qu'il ne désamorcera pas les autres soupirs qui lui barrent le passage.

Si j'empêche ce glyphe de s'exprimer, je n'aurai qu'une perception grossière de ses auteurs. Il n'y aura que cette empreinte partagée et solidaire qui l'emporte sur toutes les autres, l'empreinte d'une famille. Je veux vous deviner, chercher votre signature au-delà de cette marque confuse. Pour y parvenir, je n'ai pas le choix : je dois vivre le glyphe, dérouler les fils jusqu'au bout et éprouver vos souffles. Chacun d'entre eux, pour vous dissocier et vous identifier.

Il lorgne un bref instant Topod et s'élance sans un mot droit devant lui.

Sur son corps, les glyphes claquent avec un bruit sec, comme des voiles sous le vent. Sensation de progresser dans une cave remplie de toiles d'araignée. Chatouillement au visage et vague appréhension au diapason de sa fée.

L'illusion le frappe de plein fouet et le déporte brutalement contre la rambarde. Un murmure de stupéfaction emplit le théâtre.

Il est au cœur d'une tempête, ballotté par un roulis puissant. Son navire gémit dans une mer démontée et son équipage bataille pour garder le contrôle du bâtiment. Des vagues lourdes et sombres ravagent le pont. Il agrippe une poutre de la rambarde sans pouvoir dire s'il s'agit ou non du gouvernail qu'il cramponne de toutes ses forces au milieu des éléments déchaînés. La pluie fouette son visage.

Je dois tenir. Mes hommes comptent sur moi.

La pluie, soudain, cesse et le navire disparaît. Il est sur la terre ferme. Il titube sur une coursive et des gens crient autour de lui.

Il s'effondre sur les genoux et saisit le danger avec une lucidité poignante.

Sa fée a réagi et tenté de briser l'hallucination avec une sensation contradictoire : un désir vif et presque douloureux lui a empoigné le pénis comme la main pressée d'une amante.

Il s'effondre sur les genoux et se voit tel un homme ivre. Une planche cède sous sa jambe droite.

Je dois tenir. Mes hommes comptent sur moi. Il prend appui sur le gouvernail pour se remettre debout. Un paquet de mer a manqué de l'emporter, mais il tient bon.

Il entrevoit une vague de travers qui risque de soulever le navire.

Elle va nous fracasser. Nous disloquer.

Il pèse sur le gouvernail avec l'énergie du désespoir. Devant lui, trois silhouettes émergent du rideau de pluie, presque à la verticale de la dunette, et commencent à escalader une écoutille pour se hisser à sa hauteur.

Le navire bascule vers l'avant, dans un creux vertigineux. Baranus hurle à pleins poumons pour couvrir la peur qui noue ses entrailles et affronter ce gouffre noir qui va les engloutir.

Les trois silhouettes s'engagent sur la dunette.

Trois nains. Une naine, la plus âgée, est la mère des deux autres, un frère et une sœur qui se tiennent la main. Le bateau glisse de plus en plus vite dans le creux de la vague, mais les nains, curieusement, ne regardent que lui, le capitaine.

C'est la fin. Je dois me préparer à livrer mon dernier soupir.

Le navire se déchire. La coque cède dans un long et profond gémissement qui couvre les cris de l'équipage.

Voile rouge, de nouveau.

Relève-toi, dit une voix sévère dans son crâne.

Baranus saisit la main de Topod. Une douleur sourde lui vrille les tempes. Ses jambes flageolent. En contrebas, filles et clients du Galeux forment une foule hostile que son malaise aiguise comme une meute prête à bondir sur une proie facile.

La honte le submerge. Dans les yeux laiteux de Topod penché sur lui, il distingue fugitivement son propre reflet déformé.

En pensée pour Topod, il résume ce qu'il vient de comprendre :

Une famille… Une naine et ses deux enfants. Elle, c'est la mère du nain qui a axé son souffle sur la fille que nous cherchons. Ils sont dangereux et résolus.

Son complice fait jouer ses doigts dans le vide et demande :

Sois plus clair. Tu sais où ils sont ?

Baranus fait trois pas, pris de vertige, et vient buter contre une porte à l'extrémité de la coursive. Il souffle dessus sans y mettre les formes. La porte vole en éclats. Un air frais s'engouffre entre les planches déchiquetées et lui caresse le visage.

Du pied, il se fraie un passage et se fige sur la première marche d'un escalier dérobé qui se faufile derrière une écorce du cinquième arbre. Une lumière tombante éclaire tout juste les marches suivantes et le coude, dix mètres plus bas, qui prouve que l'escalier s'enfonce dans l'arbre lui-même.

— On ne peut pas le voir de l'extérieur.

Topod le rejoint et expire deux grandes bouffées d'air pour saisir le relief qui s'étend sous ses yeux.

— Ils sont passés ici ?

— Oui, affirme Baranus.

Topod fronce le nez et lâche un soupir dans le vent pour avertir les Proues.

— Tu peux suivre leurs traces ?

Baranus le certifie d'un soupir.

Je dois faire semblant. Je ne peux pas te dire, à toi le dévoué serviteur des Proues, combien j'ai aimé ce que je viens de vivre. Combien cela me manquait. Cette famille a parlé à mes rêves. À ceux que je cache en moi comme un trésor. J'avais imaginé l'horizon comme une corde que l'on noue, mais je la veux comme une écharpe que l'on glisse autour du cou. L'écharpe d'un voyageur. Là-bas, dans cette illusion, c'est moi qui choisissais le chemin.

— Tu dois les châtier, dit Topod, l'index pointé vers l'intérieur du Galeux. Tu as été faible devant eux.

— Fais-le pour moi. Je vais suivre la trace.

— Je ne peux pas te faire confiance. Ou peut-être suis-je inquiet pour toi. C'est à toi de les punir. Sinon, ils vont douter. Quand tu auras fait ce que tu dois faire, nous suivrons la trace.

Baranus hésite.

L'escalier, dans la pénombre, l'attire.

J'ai envie de descendre, d'avaler les marches. Si je refuse l'injonction tout juste voilée de Topod, je me trahis, je me contente de fuir.

Topod ne voit pas le rictus s'inscrire sur le visage de son complice.

Ni le poignard glisser hors du fourreau fixé à la ceinture.

20

« Le souffle parle de ton instinct. Tu peux donc lui faire confiance. »

LOOR MERINE, *Une seule vie*

L'aube s'attarde sur l'Axile. Une lumière douceâtre se faufile entre les bâtisses et guide le pas hasardeux des noctambules, tandis que la rumeur enfle dans les ports et précipite les premières manœuvres du jour naissant. Des navires glissent déjà vers la haute mer sous un ciel clair.

Lilas cherche son fils, la rage au ventre. À son cou, le collier zéphirin est une chaîne tiède et vibrante. Les bourrasques dansent autour de son corps et amortissent sa course folle dans les entrelacs du cinquième arbre. En rupture avec les champs féeriques, la naine consacre son souffle aux soupirs fragiles que son fils a laissés dans son sillage.

Elle s'oublie dans les méandres. Elle cogne contre des murs, elle dégringole des marches et se relève aussitôt, elle percute des passants sans entendre les jurons et les insultes. L'armure intangible du Zéphir peine à protéger sa maîtresse dans son aveuglement. Car Lilas ne voit plus la cité ni même son propre corps. Son âme tout entière résonne aux infimes empreintes de Saule.

Elle traque sa respiration, ce petit vent unique que son âme, sa gorge et sa propre fée sculptent chaque fois qu'il respire.

Tu es vivant. Chaque soupir que je décèle devant moi le prouve. Je vis la même angoisse qu'aux premières heures de ta naissance. Tu dormais dans notre lit et aucun muscle de ton visage ne bougeait. Alors j'étendais un mouchoir de soie au-dessus de ta bouche pour m'assurer que tu respirais encore. Tu n'imagines pas à quel point j'étais enchaînée au renflement régulier de ce mouchoir, à quel point je prenais la mesure de ma responsabilité chaque fois que le tissu se bombait.

Tu as fui avec Brune. Après ce que nous avons traversé, cela signifie que vous avez, l'un ou l'autre, pris une décision radicale. Une décision qui me fait profondément peur. J'appartiens à mes intuitions et celles-ci expliquent pourquoi je cours comme une folle pour te retrouver. Je ne veux pas que l'amour t'aveugle. Tu dis que tu te considères comme son père, tu te révoltes quand j'ose prétendre qu'il s'agit d'autre chose. Pourtant, entre elle et toi, il y a bien plus qu'une filiation. Alors j'ai peur, Saule. J'ai vraiment peur que tu meures d'amour.

Iris et Cèdre s'efforcent de suivre la course erratique de leur mère. Familière de telles équipées, Iris parvient à maintenir son souffle à la hauteur de Lilas. Elle l'a perdue de vue à trois reprises sans pour autant rompre le lien du souffle.

Iris tient, dans la main droite, le manche usé de sa masse d'arme. Une alliée fidèle, tout en acier, lourde et rassurante au bout de son bras. Sur la hampe, elle a gravé des traits grossiers pour chaque souffle pris au monde. La tête, une boule émoussée, pèse comme un balancier et lui sert à maîtriser ses impulsions.

Sa tunique lui colle à la peau, la sueur coule entre ses seins.

— Par là ! crie-t-elle soudain en dépassant une venelle étroite qui s'enroule autour d'une vieille tour penchée.

Cèdre halète, la poitrine comprimée par l'effort. Il s'arrête un bref instant, mains vissées aux genoux, la bouche ouverte pour respirer à pleins poumons de grosses goulées d'air. Il n'a pas le tempérament fougueux de sa sœur, cette énergie qu'elle libère à chaque foulée. Son souffle à lui s'inspire, telle la fumée d'une pipe, pour se vivre de l'intérieur.

Iris le croche par le col de la veste et le pousse devant elle.

— Allez ! ordonne-t-elle, les joues cramoisies et les yeux brillants.

Il obéit malgré la fatigue et le murmure outré de sa fée qui a perdu l'habitude d'être ainsi sollicitée.

La venelle échoue sur un surplomb, un balcon étroit prolongé par un escalier taillé dans l'écorce. En contrebas, une placette aux pavés disjoints se dérobe sous les branches touffues d'un saule pleureur. L'arbre imprègne les lieux. La brise joue dans des feuilles humides et miroitantes.

L'atmosphère qui règne sur cette place glisse sur Cèdre comme un voile rafraîchissant. Il goûte instinctivement à l'harmonie subtile qui lie l'arbre et les façades lépreuses tout autour.

Un enfant, songe-t-il. Cet arbre est un enfant de l'Axile qui résonne avec la cité et ses habitants.

Un bref instant, le vent force et soulève des branches avec vigueur. Des soupirs anciens échouent sur le visage de Cèdre. Tous racontent les moments de grâce tièdes et enchantés vécus par les Axilés qui ont trouvé refuge sous le saule pleureur.

— Mamila !

La voix tranchante de sa sœur s'élève en bas de l'escalier.

L'harmonie tissée dans les branches de l'arbre se hérisse au contact du souffle engagé d'Iris. La sœur de Saule s'impose dans les champs féeriques. Elle veut s'y frayer un passage sans égards pour les témoignages fragiles du passé qui flottent dans l'air.

Sa mère avance à pas lents entre les branches. Elle s'est figée à l'appel de sa fille et a tourné vers elle un visage livide.

Iris frissonne devant l'expression hagarde de sa mère et s'élance dans sa direction.

L'avertissement de sa fée est inutile. Dès la première foulée, elle a distingué le jeu imperceptible de lumière qui se jouait devant elle, ce décalage infime dans la réalité qui altère le décor.

Une vague puissante et invisible la cueille à la hauteur du thorax. Le souffle coupé, elle est emportée par la houle, soulevée de terre et entraînée en arrière. Son corps tournoie dans le vide. Son épaule heurte violemment un pavé. Une douleur aiguë rayonne dans son bras. Son arme lui échappe tandis que son corps n'en finit plus de rouler et de tanguer dans le remous.

Elle s'écrase contre une façade avec un bruit sourd. Un os cède. Ses yeux se brouillent. La douleur explose dans son dos.

Tu commandes, dit-elle à sa fée.

Cette dernière se rue aussitôt dans son crâne pour atténuer la souffrance qui paralyse son esprit. Iris grogne et distingue la haute silhouette d'un loup de mer émerger de l'obscurité.

Baranus pénètre sur la placette par l'est. Jusqu'ici, il se tenait dans l'ombre d'un passage. À présent, il s'offre à la lumière. Les cheveux aplatis par la pluie, la barbe encore ruisselante, il semble s'extraire de l'eau. La pluie a aussi lissé la fourrure de son gilet et collé son pantalon bouffant contre ses jambes. Sa bouche fermée est désormais une forge brûlante où des souffles aiguisés patientent derrière le rempart de ses dents.

Il mesure les forces sous-jacentes qui se lovent dans le reflet harmonieux de la placette.

La famille se livre sous ses yeux. Le frère s'ébranle, dégaine une épée semblable à un cimeterre et descend les marches de l'escalier avec un calme trompeur.

Le loup de mer et le nain se jaugent.

Baranus ne veut prendre aucun risque. Il veut la naine qui a touché son cœur, celle qui s'est engagée sous les frondaisons de l'arbre. Il étend les bras devant lui. Doigts écartés et paumes ouvertes en direction du fils. Chaque espace qui sépare ses phalanges devient un filtre tandis que ses doigts sont des piliers autour desquels son souffle, presque sifflé, s'enroule pour prendre de la vitesse et fondre sur le nain.

Cèdre se tasse pour encaisser l'onde qui déferle sur son corps. La mâchoire contractée, il ne tente pas de résister à la vague, il l'accepte et l'accompagne malgré

311

les morsures du sel. Son corps danse dans le flot mental, ses bras et ses jambes se faufilent dans le courant.

La vague passe. Il est encore debout. Ses vêtements lacérés par le sel pendent comme les lambeaux d'une mue. Sa sœur gît dix mètres plus bas, saoule de douleur. Une entaille à son front saigne abondamment. Elle le rassure d'un geste.

Il sait le combat inégal. Il n'a pas la prétention de terrasser le loup de mer, mais il peut essayer de gagner du temps.

Il fixe le saule pleureur et tente de déchiffrer le rythme de ses oscillations. Il a besoin de se glisser dans l'intimité de l'arbre, de se nourrir des accords qui le font frissonner sous la brise et exister dans les champs féeriques. En vertu des principes libertaires prônés par les Proues, un reflet enchanté exsude du saule pleureur, un calque dont Cèdre discerne déjà les contours estompés.

L'impression n'a duré qu'une poignée de secondes. Moins de cinq mètres le séparent d'Iris. Le loup de mer n'a pas réagi à l'échec de sa première vague et s'avance toujours à sa rencontre.

Cèdre offre son souffle.

Le don, sincère et humble, s'étire entre les lèvres du nain et devient un mince filet d'air qui scintille brièvement dans la lumière du matin avant de se fixer, comme la bouture d'une nouvelle branche, au reflet du saule pleureur.

Le loup de mer se fige. Sur cette placette de l'Axile, le don de Cèdre est accepté. Les champs féeriques apprécient cet acte volontaire, cette preuve tangible d'un ensemencement.

Une branche, réelle cette fois, se détache de l'arbre et ondule, tel un fouet, avant de fondre brutalement sur le loup de mer.

Baranus veut rompre l'enchantement initié par le nain. À l'instant où la branche se propulse dans sa direction, il parvient à claquer des doigts pour faire naître quelques grains de sel et les disperser devant lui comme un leurre. Le geste, maintes fois répété, ne parvient pas à duper le saule pleureur. La branche se contente de dévier légèrement sa trajectoire et s'enroule rageusement autour du cou de Baranus.

Le loup de mer vacille sur ses pieds. L'arbre ne cherche pas à l'étrangler mais à comprimer sa gorge pour lui couper le souffle.

Il titube et tente de libérer un dernier souffle coincé sous sa langue pour alléger la pression sur sa pomme d'Adam.

Un soupir sans effet meurt sur ses lèvres.

Brune gît au pied du saule pleureur. Elle grelotte, les bras resserrés contre sa poitrine, dans une tunique détrempée qui dévoile ses cuisses blanches.

Lilas essaye de canaliser l'angoisse qui obscurcit ses sens. Son regard erre dans le fouillis des branches qui forment une coupe compacte autour d'eux.

Saule ! hurle-t-elle dans les champs féeriques. *Saule !*

Brune pose les yeux sur elle.

— Il est avec moi, dit l'adolescente.

Lilas ne s'appartient plus. La peur et la colère la submergent. Elle s'agenouille près de Brune et la saisit par les cheveux pour lui tordre la nuque :

— Où ? Il est où ?

— Tu me… fais mal.

— Dis-moi où il est.

— Autour de moi.

Lilas secoue la tête.

Non. Pas ça. Pas mon Saule.

Elle relâche les cheveux de Brune et frappe du poing contre le tronc. Plusieurs fois jusqu'à ce que la douleur de ses phalanges écorchées l'emporte sur l'image de son fils disparu.

— Tu le vois ? dit Brune à voix basse.

— Tais-toi, grince-t-elle. Tais-toi.

J'ai envie de te frapper, de te dissoudre. Salope.

Petite salope, je te hais.

Un souffle d'air appuie sur la joue de Lilas. Puis un autre qui joue un bref instant avec l'arête de son nez. Un baiser-papillon semblable à celui que Saule exigeait d'elle au temps où il avait encore peur du noir et des ombres projetées par la lanterne capuchonnée que Frêne déposait près de son lit.

Elle retient un sanglot quand le souffle glisse lentement sous son menton et lui relève le visage.

— Il m'aime, dit Brune.

— Tu l'as tué. Tu l'as nié.

— Non, je l'emporte avec moi. Je l'aime.

Lilas grimace.

Ta voix, mon Saule. Je n'entendrai plus jamais le son de ta voix.

— Rends-le-moi… dit Lilas.

— C'est impossible. Et tu le sais. Il est venu en moi, pour toujours.

314

Elle lui saisit le bout des doigts.

— Pour toujours, répète-t-elle.

Lilas éprouve des difficultés à respirer. L'humidité du sol, les contractions lointaines des champs féeriques et le rempart formé par les branches de l'arbre l'oppressent au point qu'elle veut fuir cet endroit au plus vite. Je vais mourir si je reste ici. Brune m'étouffe comme elle a étouffé mon propre fils.

— Je veux que tu restes, dit Brune. J'ai froid.

Lilas ferme les yeux. La main de l'adolescente s'est blottie dans la sienne.

Ma colère s'apaise et je ne sais pas pourquoi. J'ai envie de courir vers la mer pour pouvoir respirer à pleins poumons et pourtant, je ne peux pas lâcher ces petits doigts glacés qui m'agrippent. Est-ce que c'est toi, Saule, qui parle à travers eux ? Je ne veux pas me résoudre à ça. À te vivre juste à travers elle.

Elle se rapproche de Brune. Transie, l'adolescente se fore une place contre elle. Lilas referme les bras autour d'elle et l'étreint. Joue contre joue, la mère et l'amante ne se serrent pas l'une contre l'autre, mais contre cet espace qui les sépare et les lie, cet Aquilon tiède qui fut Saule.

Juché sur un toit qui domine la placette, Cerne tente de déchiffrer la scène qui se joue sous ses yeux. Depuis l'instant où les renégates l'ont mandaté pour trouver la Fée primordiale, il n'a pas essayé de démêler la trame qui se nouait autour de lui. Il a préféré se laisser porter par le courant.

Porter par Lyme.

Le nom de l'enfant résonne en lui comme une délivrance. La nuit dernière, il est resté longuement à son chevet pour écouter le souffle apaisé qui ronronnait aux lèvres du garçon. Un souffle baigné d'innocence, un souffle à forger et à guider.

Pour peu que ce monde ait encore un avenir, je ne vais pas t'apprendre à chasser et à tuer. Je veux juste être là, pour toi. Te faire grandir.

Il détecte l'impatience du garçon. Une respiration syncopée et affranchie. L'enfant est captivé par le duel qui oppose les deux nains au loup de mer autour du saule pleureur.

Brune est là. Elle l'a conduit jusqu'ici. Pourquoi maintenant ? Pourquoi a-t-elle attendu ce matin clair pour inviter son chasseur à la rejoindre ? Il s'est compromis auprès du maître du cinquième arbre pour la retrouver et elle l'a mené sur cette placette.

Il doit intervenir.

— On descend, dit-il. Tu me fais confiance ?

— Oui.

Il inspire une longue gorgée d'air et bloque sa respiration. Son souffle affleure à ses narines au moment où il entraîne le garçon sur la pente du toit et glisse sur les vieilles ardoises pour gagner de la vitesse.

Son corps s'ajuste dès lors que la gouttière est franchie. Tous deux se propulsent dans le vide. À ses narines, le souffle se déploie et façonne les champs féeriques pour accompagner leur trajectoire jusqu'au sol.

Il veut garder l'initiative et rompt l'enchantement à deux mètres du sol.

Lyme a retenu la leçon et se reçoit avec souplesse, les muscles relâchés, tandis que Cerne cherche la matière brute d'un nouveau souffle dans l'air qui gonfle sa houppelande.

Le loup de mer entravé par une branche du saule pleureur bataille pour récupérer son souffle. Cerne a modelé le sien afin d'écarter la menace représentée par les deux nains.

Des éclats de voix étouffés retentissent sous le saule pleureur.

La houppelande de Cerne a joué le rôle de soufflet pour décocher vers les deux nains un soupir ciselé comme une faux. Le frère et la sœur vacillent sous le tranchant qui se matérialise au contact de leurs corps et les cloue brutalement contre la façade. Deux crochets aux angles éthérés les compressent contre le mur et parasitent le contact avec leurs fées.

— Derrière moi, ordonne Cerne.

Lyme se coule aussitôt derrière lui et adapte sa foulée aux grandes enjambées de son maître qui s'engouffre sous les branches de l'arbre.

— Il est là, dit Brune.

Lilas s'arrache à l'étreinte de l'adolescente et fait volte-face.

Un homme est apparu, suivi de près par un jeune garçon. Les champs féeriques bégaient et provoquent un appel d'air brutal. Les branches se soulèvent et retombent dans un long chuintement.

D'une caresse mentale, Lilas sollicite l'armure zéphirine. Elle toise l'inconnu et s'interroge sur ses intentions.

— Cerne, viens, dit Brune.

L'homme lisse machinalement ses cheveux mouillés et s'approche des deux femmes.

Tu veilles sur le garçon. Dans tes mouvements, il y a une volonté limpide : tu fais rempart pour le protéger. Pourquoi ton souffle, désormais à portée, me semble familier ? Comme si je l'avais croisé jadis, à Médiane ou ailleurs.

— Lyme, murmure Brune. Assieds-toi près de moi.

Le saule pleureur frémit sous la pression grandissante des champs féeriques. Un froissement attentif anime ses feuilles.

Sur un signe de son maître, Lyme s'est exécuté. Assis en tailleur, il se triture les doigts et dévisage la jeune femme avec intensité.

— Je sais qui je suis, dit Brune.

Lilas note le rose qui lui monte aux joues. L'adolescente replie les jambes et se tient les chevilles avec une main. Puis elle ajuste un manteau invisible sur ses épaules.

Lilas se raidit.

Mon fils. C'est mon fils qui te recouvre. Tu as fait de lui un Aquilon dans l'heure qui a suivi sa mort alors qu'il faut théoriquement des semaines pour parvenir à un tel résultat. Et l'armure ? Où est cette armure que Saule est censé animer autour de ton corps ? Je pense que tu as négligé le métal, que tu as privilégié le souffle et que mon fils, désormais, n'est plus qu'une simple bourrasque autour de toi. Peut-être une seconde peau. Je l'ai senti quand tu es venue te blottir contre moi.

— Tu es la Fée primordiale, affirme Cerne. Tu t'es incarnée à la surface de ce monde.

Brune soupire et pose les yeux sur lui.

— Cela n'a plus d'importance.

— Si, intervient Lilas. Si, pour moi, cela en a. Si tu es… la Fée primordiale, tu peux me rendre mon fils. Je suis obligée de croire cet homme. D'admettre l'impossible, de considérer que je suis là, sous les branches d'un saule pleureur, à te parler, à toi, la Fée primordiale. Je ne suis pas idiote. La Haute Fée a tout tenté pour te retrouver. À juste raison. Il y a tant de mystères autour de toi. Je voyais bien que tu focalisais l'attention des Hautes Fées, je le pressentais, mais jamais je n'aurais soupçonné que tu puisses être la Fée primordiale. Tu es vraiment celle que l'on prétend ? On t'évoque comme un équilibre, une clé de voûte. On raconte que toutes les lignes convergent vers toi. Que tu es l'ultime point de fuite. Si c'est vrai, si tu as créé ce monde, tu peux me rendre mon fils.

— Je suis ici parce que j'étais seule, dit Brune après un silence. Terriblement seule. Je mourais de solitude.

— Saule, je te parle de Saule, rétorque Lilas d'une voix sèche.

— Je te parle de moi, de ce que j'étais. Je ne suis plus la Fée primordiale, je suis Brune. Et je ne peux pas défaire ce que l'amour a tissé entre Saule et moi.

Lilas s'enfonce les ongles dans les paumes, bouche pincée. Ses yeux la piquent. Elle aimerait se jeter sur

Brune, la torturer même, si elle le pouvait. Mais Saule…
Saule ne le permettrait pas.

Je ne te vois plus et pourtant, tu es là. Dans ma chair,
sur ma peau, j'ai ce fourmillement intime qui n'appartient
qu'aux mères, la conviction que tu n'es pas loin et
que je pourrais, d'un geste, te faire rire ou pleurer.

— Ta solitude, articule Lilas. Tu l'as choisie.

— Tu as raison. Sans savoir qu'elle me détruirait.

— Les renégates te cherchent, intervient Cerne.
Elles espéraient ton retour. Elles veulent que tu ouvres
les Verticales, que notre planète reprenne sa place dans
les champs… stellaires. Tu veux les rencontrer ?

— Elles sont perdues, l'interrompt Brune. Elles sont
sans nuance, livrées à elles-mêmes. Non, ce n'est pas
elles que je cherchais, c'est toi. Je l'ai sans doute
compris trop tard. Trop tard pour Saule, en tout cas.

Elle penche légèrement la nuque avec un sourire
timide. L'Aquilon joue du soupir avec le lobe de son
oreille.

— Le souffle… je l'ai conçu comme un réenchantement.
Je vous ai offert le souffle pour que vous puissiez
écouter votre cœur. Je n'ai pas cherché à comprendre
comment ou pourquoi vous aviez à ce point perverti mes
Verticales. Jadis, avant même que je vous songe, je
n'existais qu'à travers elles. Mes petites sœurs, des fées
comme moi qui ont germé et donné naissance à une
planète. Nous avions chacune une histoire distincte, une
empreinte stellaire, mais notre expérience n'en formait
qu'une seule. Une expérience profondément collective
et sans limite. Les Verticales nous liaient les unes aux
autres. Je ne suis pas certaine d'avoir les mots pour

décrire ce que nous vivions. Le temps n'avait pas de prise sur nous. Nous nous exprimions à travers nos émotions. Des sensations, des perceptions qui formaient un seul et même champ d'expérimentation.

Elle secoue la tête, le regard las.

— C'est si difficile d'en parler… Il n'y a rien qui y ressemble, dans votre histoire.

— Les Hautes Fées, dit Lilas.

— Elles ne sont que des symboles. Des mères qui veillent sur les lignes de la vie. Elles ont fait ce qu'elles devaient faire. Elles ont hérité d'un monde blessé et ce sont elles qui ont fait en sorte que le monde renaisse sur cette toile.

— Brune, qu'est-ce que tu veux ? demande Lilas.

— Je ne suis pas très courageuse, dit-elle. J'ai cru que je pouvais exister sans les autres, que je pouvais me satisfaire de mes propres rêves et de mes souvenirs. Je me suis recroquevillée. Je me suis asséchée et j'ai guetté le moment où je pourrais m'incarner. Une faille, une simple faille où je pourrais m'engouffrer et échapper à mon âme devenue creuse.

— Saule… souffle Lilas.

— Non, tu te trompes. C'est lui qui m'a invitée, fait-elle en désignant Cerne. Tu as été ma brèche sur le monde. Grâce à toi, j'ai pu m'emparer d'une âme encore tiède. D'un nourrisson. Je l'ai sculpté moi-même pour qu'il grandisse comme un être humain. J'ai fait en sorte qu'il existe près de moi, dans les entrailles du monde. Ce nourrisson est devenu une petite fille, une renégate dans les champs féeriques. Jusqu'à ce que je puisse l'incarner, qu'elle devienne un moule bien réel dans lequel j'ai pu me couler. Ce corps a été ma barque pour franchir la frontière entre ce monde et les champs féeriques. Mon refuge pour voyager jusqu'à vous.

Le visage de Cerne se décompose.

— Je n'ai que le corps de ta fille. Une interprétation à partir de ce que tu as laissé ce jour-là. Je ne suis pas *elle*. Je suis la Fée primordiale dans *son* corps. Ne te laisse pas aveugler. Je t'ai guidé jusqu'à moi pour te poser une question. Une seule question. Tu as tué ton enfant parce qu'elle était une renégate. Tu n'as pas accepté son souffle vicié. Tu l'as étranglée, tu as refusé d'envisager qu'elle pouvait être sauvée. Que tu pouvais l'aimer en dépit de ce que tu considérais comme une perversion. Tu as nié ses potentialités. Saule a sacrifié sa conscience par amour. Alors réponds-moi, je dois savoir… Est-ce que tu crois que tu serais capable de faire la même chose ?

— Je n'ai pas besoin de ton absolution.

— Réponds-moi. Je ne veux plus de deux mondes qui se chevauchent. Les champs féeriques n'ont pas lieu d'exister. J'ai besoin d'une seule réalité. Est-ce que l'homme est sacré, Cerne ? Est-ce que les Verticales ont plus d'importance que vous ? Je suis une renégate et Saule a offert son souffle pour me sauver. Pourquoi n'as-tu pas fait la même chose avec ton enfant ? Je t'en prie, réponds.

La voix de Brune supplie. Cerne se décale derrière Lyme et pose ses mains ouvertes dans les cheveux du garçon.

— C'est lui.

— Ta réponse ?

— Tu parles de cet enfant que j'ai tué. Je ne lui avais pas donné de nom. Lyme, lui, en a un. Lyme m'a donné naissance.

Un silence. Brune déplie une jambe.

— Je viens de naître, moi aussi. Je suis Brune et j'aime Saule, dit-elle. Je ne pouvais pas le garder intact, alors j'ai fait de lui ce souffle. Un être primordial. J'ai besoin de simplicité. Je veux reprendre ce que je vous ai donné. Ce souffle, cette magie qui transpire dans vos actes. Je veux vous l'enlever, je veux vous voir comme je me vois, moi : amoureuse et… humaine.

— Nos fées, murmure Lilas. Elles fondent notre existence. L'Ancrage, la perpétuation des Lignes-Vie.

— Je vous ai enfermés alors que j'espérais vous délivrer. Nains, elfes… toutes ces distinctions n'ont plus de sens à mes yeux. Je me suis amputée des Verticales parce que vous les aviez perverties. Vos religions les avaient corrompues. Vous n'avez pas essayé d'entendre mes sœurs ni même de les écouter. Vous avez voulu vous en *emparer*. Votre avidité m'a bouleversée et j'ai voulu inspirer cet homme au cœur de fée.

— Pour nous réenchanter, dit Lilas.

— Pour vous éveiller. J'ai dessiné l'Horizontalité, j'ai voulu que vous tissiez, à votre façon, ce que moi, j'avais vécu dans les Verticalités à travers mes sœurs. Je me suis trompée. Je n'avais pas besoin de vous imposer cet enchantement. Vous n'en aviez pas besoin.

— L'homme porteur de son propre enchantement, c'est ce que tu prétends ? D'où tiens-tu une telle certitude, aujourd'hui ?

— De Saule et de Lyme. De l'amour.

— Foutaises, grommelle Lilas. De l'amour, il y en a toujours eu. Pourquoi celui-là ?

— Parce que c'est le mien. De quoi as-tu peur ? Je vais te délivrer de ta fée. Du souffle et des frontières imposées par les Lignes-Vie.

— Et Saule ?

— Je vais le garder contre moi. Encore un peu. Le temps pour moi de délier le souffle. D'y mettre fin et de vivre parmi vous.

— Si tu supprimes le souffle, tu vas de nouveau ébranler le monde.

— Je vais l'ouvrir, Lilas. Je te le promets. Il n'y aura plus les elfes ou les nains. Il y a aura Errence, il y aura Lilas… C'est cela qui m'importe. Vous voir tels que vous êtes. Sans masque. Il me tarde de te découvrir vraiment.

Elle vacille, prend appui sur le tronc du saule pleureur.

— Je suis fatiguée, dit-elle. J'ai besoin de Saule. D'un moment avec lui. Laissez-moi.

— Alors tout est fini ? demande Lilas. Comme ça ?

— Tout commence, rétorque Brune avec un sourire las. Je n'ai pas dit que ma décision était juste, Lilas. Elle m'appartient, c'est tout.

— Tu vas me voler Saule une deuxième fois. Il devient souffle pour te sauver et tu choisis d'y mettre fin. Explique-moi.

Lilas réprime de nouveau une colère profonde qui irradie son ventre. Sa gorge se serre. Elle surprend un regard de Cerne et pense qu'il n'interviendra pas, à moins que Lyme ne soit en danger.

Brune n'a pas répondu, le regard absent, la conscience retranchée ou lovée dans l'Aquilon qui joue avec ses cheveux.

— Explique-moi ! crie Lilas. Tu pouvais le sauver. Il suffisait d'attendre, non ?

— D'attendre ? répète Brune à voix basse. J'attendais son renoncement. Qu'il se sacrifie pour moi. Pour moi.

Lilas ferme les yeux pour tenter de reprendre le contrôle de son souffle. La colère submerge ses sens et arrache une plainte à sa fée.

— Ne fais pas ça, dit Cerne d'une voix douce.

Je ne peux pas.

Je ne peux pas laisser une adolescente capricieuse commander le monde et dissoudre mon fils.

Saule, pardonne-moi.

Lilas empoigne ses haches.

Non, dit sa fée.

Tais-toi, tu es à moi. Aide-moi.

C'est ma mère.

Lilas pousse un hurlement de rage.

Son propre corps se dérobe. Ses doigts se relâchent et ses jambes fléchissent.

Aide-moi, bon sang, ordonne-t-elle en essayant de combattre le souffle qui envahit ses veines et lui comprime le crâne. *C'est mon corps ! Rends-le-moi.*

C'est ce qu'elle veut, répond sa fée. *Te rendre ton corps.*

Cerne fait glisser Lyme derrière lui. Brune se retranche lentement dans les champs féeriques, le doigt léger et la bouche frissonnante sous les caresses de l'Aquilon.

Lilas s'affaisse brutalement sur les pavés, les muscles tétanisés.

Lilas, au revoir, dit sa fée.

Reste, je t'en prie. Ne me laisse pas comme ça.

Ne t'inquiète pas. Elle a raison, tu ne dois plus avoir peur. Tes enfants sont là et moi, ta fée, je veux que tu sois heureuse. Tu as déjà trop tardé. Tu l'as été, jadis, quand tu n'avais pas besoin de moi. Fais-le encore. Fais-le. Frêne t'attend.

Épilogue

Lilas écoute le fracas de la mer en contrebas. Elle se tient juste derrière la statue de Frêne, le bassin collé à son dos, les deux bras glissés autour de son cou. Contre sa joue, elle goûte à la pierre qui se dénoue chaque jour un peu plus et jette un œil sur ce petit éclat tombé ce matin qui pourrait ressembler au fragment d'une coquille.

Elle sourit.

Je sais que ce n'est pas vrai, ne t'inquiète pas. Je sais juste que des nains, à Médiane et ailleurs, s'éveillent. Tu vas revenir, mon amour. Je vais te toucher, je vais sentir ta peau sous mes doigts. Je vais t'embrasser, je vais t'écouter, te regarder bouger. Tu vas être près de moi. Vivant.

Elle serre de toutes ses forces le cou puissant de la statue et passe une main ferme sur son torse.

Tu me manques, amour. Le monde tel que tu le connaissais n'existe plus. Je vais devoir t'apprendre à vivre avec ce silence dans ton cœur. Au début, tu ne dors plus, tu crois mourir à chaque fois que tu tends l'oreille et que tu poses la main sur ta poitrine. Il faut du temps, c'est tout. Du temps pour accepter cet étrange battement comme quelque chose qu'on peut oublier. Un organe, amour. Un simple organe comme tes poumons ou je ne sais quoi. C'est un peu fou, mais on s'habitue, je te le promets. Je serai là, tu sais. Toujours. Je serai là pour t'apprendre à vivre sans le souffle.

Brune prétend qu'elle nous délivre. Je ne sais pas encore si elle a raison. Si nous serons assez intelligents ou assez sensibles pour nous passer de cette petite voix qui venait du cœur. Parfois, quand je me lève, je pense qu'elle a raison. Que la vie est ainsi. Sans déterminisme. Tu es livré à toi-même, à tes choix. Il n'y a personne pour te dire comment être heureux. C'est à toi seul de le comprendre. Tu peux écouter tes proches, ton amour, tes enfants, mais en fin de compte, il ne reste que toi au moment où il faut choisir ce qui te rend meilleur. Pour toi et pour les autres. Pour ta vie, ce minuscule espace qui nous sépare de la mort.

Je vais te raconter comment tout a commencé, le jour où Saule a frappé à la porte du Sycomore avec une jeune fille sur son dos. Je ne vais rien te cacher. Je vais te dire que j'ai aimé Errence, un elfe, mais qu'il n'est plus là. C'était mon amant, mon baume sur ton absence. Errence est parti, c'est tout. J'ignore ce qu'il deviendra. Je crois le connaître un peu et je pense qu'il lui faudra du temps à lui aussi pour admettre que le rêve, désormais, n'est plus une affaire concrète, une relation tangible aux champs féeriques, mais quelque chose qui le regarde, lui, dans ce qu'il a de plus intime et de plus vrai. J'espère qu'il y arrivera. Vraiment, je l'espère. Il le mérite, il a fait beaucoup pour Brune et pour moi.

Je vais te parler de nos enfants, aussi. Du sacrifice de Saule qui a donné à la Fée primordiale une raison de croire en nous. Sans lui, peut-être aurait-elle choisi de renouer avec ses sœurs et de nous faire disparaître. C'est possible, on ne le saura jamais. Tu seras fier de Saule. De l'amour qu'il a éprouvé pour Brune. Il a longtemps cru être un père pour elle avant de comprendre qu'il l'aimait comme je t'aime, moi. Je ne suis pas sûre que tu puisses croire tout ce que je vais te raconter.

L'amour de Saule a changé le monde, c'est peut-être aussi simple que cela.

Iris s'installe à Médiane, tu ne peux pas savoir à quel point je suis contente. Elle sera près de moi, près de nous, elle viendra nous voir. Je ne sais pas trop ce qu'elle va faire. Pour l'instant, le monde se cherche, tu dois bien comprendre cela. Il y a des révoltes, des massacres, de vieilles rancœurs qui déchirent les cités… Les Hautes Fées ne sont plus là pour cimenter l'horizon. C'est à nous de le faire désormais. Et c'est une énorme responsabilité. Je ne suis pas la seule à le penser. Tes enfants, Iris comme Cèdre, veulent vivre ce nouvel âge, peser sur lui. Cèdre est troublé, mais j'ai confiance en lui. Il a besoin de faire naître des choses, de créer. Errence lui a laissé l'écritoire et toutes ses recherches sur l'Ancrage. Cèdre écrit beaucoup. Je le laisse faire, je suppose qu'il en a besoin. Iris le taquine, mais elle s'assagit. Je la trouve moins impétueuse et plus attentive à notre famille. C'est bien. Elle a trop longtemps cherché des réponses qui n'existent qu'en elle.

Oh ! Il faudra aussi que je te parle de Jesha. Oui, je suis allée à l'Axile et je l'ai revue. Elle n'avait pas vraiment changé. Enfin, avant que le monde, lui, change. C'est la seule qui a souri quand elle a pris conscience de ce qui allait nous arriver. Je l'ai quittée alors que sa fée muait déjà dans sa poitrine, qu'elle la sentait se tasser et se dissoudre dans sa chair. En guise d'adieu, elle m'a embrassée et elle a dit : « Maintenant, tu n'as plus d'excuse. »

Je n'ai pas répondu sur le moment. Je ne savais pas de quoi elle parlait. Des excuses pour quoi ? Pour vivre ou pour me battre ? Pour oser affronter ce qui nous attend, toi et moi ?

Tu te souviens de moi, Frêne ? Tu ne m'as pas oubliée ? La rumeur prétend que les « ancrés » ont parfois du mal à accepter de reprendre une vie normale. Je ne vais pas te demander ça. Ni une vie normale ni une vie anormale. Juste la vie. Toi et moi à une table. Toi et moi sous les draps. Toi et moi en colère.

Juste nous, mon amour.

Il faudra bien que je te raconte comment je me suis liée d'amitié avec un monsieur étrange et très sensible. Il s'appelle Baranus et je crois que tu l'apprécieras. Il vit au Sycomore. Il a pris la chambre de Lorgue. Oui, bien sûr, il faudra aussi que je te dise comment Lorgue et Soline sont morts…

Chaque chose en son temps. Baranus est bien vivant, lui. C'est un homme droit, un marin. Il veut affréter un navire et ouvrir une voie maritime avec l'Axile. Je ne suis pas sûre qu'il soit encore là quand tu reviendras parmi nous, mais je l'espère.

Les sirènes ne dominent plus les mers, les chorus n'ont plus de légitimité et les géodes ont disparu. Elles ont sombré ou se sont échouées. Des pêcheurs, hier, ont prétendu en voir une flotter à l'horizon. Comme une planète à la dérive.

Je pense à Scadre, la polyphone, et à son équipage. Avec le recul, je pense que les sirènes vivaient à leur façon une forme de verticalité. Le chorus définissait une conscience collective comparable à celle qui unissait les Fées primordiales. Je ne sais pas ce que Scadre va devenir. J'ai peur pour elle.

En revanche, je ne sais pas si je te parlerai de Cerne. La Fée primordiale l'a choisi comme témoin ou comme juge, j'ignore quel est le mot le plus juste. Il a tué son propre enfant, une petite fille qui est née renégate, et ce crime a tant ému les champs féeriques qu'ils n'ont pu contenir l'âme sacrifiée, qu'ils l'ont littéralement… vomie, je crois que l'on peut dire ça, qu'ils l'ont vomie aux pieds de la Fée primordiale. Une brèche, je suppose. Un coin enfoncé dans les murs de sa prison. La Fée primordiale a veillé sur l'enfant et en a fait une adolescente. Pour l'habiter, pour s'incarner parmi nous et chercher ce père assassin. Je ne suis pas certaine que l'on puisse parler d'une rédemption. Cerne est hanté à jamais par ce qu'il a fait, mais Brune, enfin, la Fée primordiale, lui a posé la question franchement. C'était une bonne question, la seule qui méritait d'être posée, à ses yeux, pour savoir si l'amour de Saule avait un sens.

Je pense qu'elle ne nous croyait plus. Nous, son peuple. Elle ne croyait plus en nous, Frêne… Tu te rends compte ? J'ai toujours trouvé que la vie tenait ses promesses, envers et contre tout, alors que je ne suis que… je ne suis que la petite Lilas, mère de trois enfants. La Fée primordiale, elle, a pensé que nos vies n'avaient pas assez de poids ou d'importance, comparées à celle qu'elle vivait auprès de ses sœurs avec les Verticales. Tu crois qu'elle avait seulement le droit d'en décider ? Qu'en nous créant, elle avait aussi le droit de nous détruire ? Au fond de moi, je pense que non, que sa nature ne lui donne aucun droit. Avec toi, j'ai donné naissance à trois enfants. Peux-tu imaginer que cela me donne le droit de les tuer ?

Cerne nous a suivis jusqu'à Médiane avec Lyme. C'est son petit garçon, Lyme. Ils n'ont pas dit où ils allaient, mais ils avaient l'air de le savoir. Un milicien prétend qu'ils ont disparu dans les égouts, qu'ils sont partis à la rencontre des renégates. Peut-être.

Allez, amour, éveille-toi. Éveille-toi. Je voudrais que nous parlions de cette verticalité, que tu me dises ce que tu en penses. Brune dit que nous portons en nous un enchantement qu'il faut à tout prix honorer. C'est bien ce que tu appelais notre part de sacré ?

Brune.

Elle m'a pris mon fils. Je peux l'accepter, maintenant. Ma colère a disparu, si tant est qu'elle ait vraiment existé. Je pense à Brune souvent, tu sais. À sa solitude. Est-ce qu'on peut lui reprocher d'y avoir renoncé, de ne pas avoir eu le courage de l'assumer jusqu'au bout ? En un sens, elle a partagé notre sort. Elle est devenue humaine à l'instant où elle a coupé la dernière Verticale qui la liait à un autre monde.

Je ne veux plus être seule, Frêne. Maintenant que je sais que tu peux revenir, je n'arrive plus à vivre sans t'imaginer à mes côtés.

La magie du souffle a disparu.

Il y en a une autre, plus essentielle, qui me parle de nous.

Alors, dépêche-toi, mon amour. Chaque fois que je le peux, je viens près de toi, je te parle, je te touche et je t'attends.

Je t'attends.

Composition et mise en pages : FACOMPO, LISIEUX

Achevé d'imprimer par GGP Media GmbH, Pößneck
en Juillet 2012
pour le compte de France Loisirs,
Paris

N° d'éditeur : 68808
Dépôt légal : août 2012
Imprimé en Allemagne